4주 사고력 학습 2

연산 원리를 바탕으로 한 사고력 연산
문제를 풀어 보며 수학적 사고력과 창의력 향상

3주 사고력 학습 1

연산 원리를 바탕으로 한 사고력 연산
문제를 풀어 보며 수학적 사고력과 창의력 향상

• 3, 4주차 1일 학습 흐름 •

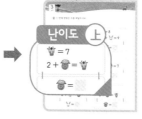

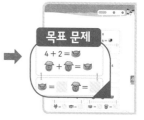

특정 주제를 쉬운 문제부터 목표 문제까지 차근차근
학습할 수 있도록 설계 되어 있어 자기주도학습 가능

✦ App Game 팩토 연산 SPEED UP

앱스토어에서 무료로 다운받은
팩토 연산 SPEED UP으로 덧셈, 뺄셈,
곱셈, 나눗셈의 연산 속도와 정확성 향상

✦ 부록 칭찬 붙임 딱지, 상장

학습 동기 부여를 위한
칭찬 붙임 딱지와 연산왕 상장

사고력을 키우는 팩토 연산 시리즈

P | 권장 학년 : 7세, 초1 |

권별	학습 주제	교과 연계
P01	10까지의 수	❶학년 ❶학기
P02	작은 수의 덧셈	❶학년 ❶학기
P03	작은 수의 뺄셈	❶학년 ❶학기
P04	작은 수의 덧셈과 뺄셈	❶학년 ❶학기
P05	50까지의 수	❶학년 ❶학기

A | 권장 학년 : 초1, 초2 |

권별	학습 주제	교과 연계
A01	100까지의 수	❶학년 ❷학기
A02	덧셈구구	❶학년 ❷학기
A03	뺄셈구구	❶학년 ❷학기
A04	(두 자리 수)+(한 자리 수)	❷학년 ❶학기
A05	(두 자리 수)-(한 자리 수)	❷학년 ❶학기

B | 권장 학년 : 초2, 초3 |

권별	학습 주제	교과 연계
B01	세 자리 수	❷학년 ❶학기
B02	(두 자리 수)+(두 자리 수)	❷학년 ❶학기
B03	(두 자리 수)-(두 자리 수)	❷학년 ❶학기
B04	곱셈구구	❷학년 ❷학기
B05	큰 수의 덧셈과 뺄셈	❸학년 ❶학기

C | 권장 학년 : 초3, 초4 |

권별	학습 주제	교과 연계
C01	나눗셈구구	❸학년 ❶학기
C02	두 자리 수의 곱셈	❸학년 ❷학기
C03	혼합 계산	❹학년 ❶학기
C04	큰 수의 곱셈과 나눗셈	❹학년 ❶학기
C05	분수·소수의 덧셈과 뺄셈	❹학년 ❶학기

사고력을 키우는

팩토 연산

B01
세 자리 수

매스티안

구성과 특징

1주 연산 원리 학습

붙임 딱지 등의 활동으로
연산 원리를 재미있게 체득

2주 연산 응용 학습

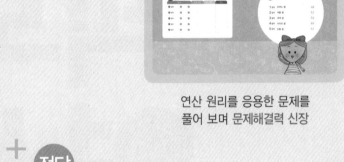

연산 원리를 응용한 문제를
풀어 보며 문제해결력 신장

+

정답

아이와 자연스럽게 학습을 시작할 수
있도록 스토리텔링 방식 도입

아이들이 배우는 연산 원리에 대한
학습가이드 제시

연산 실력 체크 진단 + 보충 온라인 보충 학습   온라인 활동지

2~4주차 사고력 연산을
학습하기 전에 연산 실력 체크

매스티안 홈페이지에서 제공하는
보충 학습으로 연산 원리 다지기

매스티안 홈페이지에서 제공하는
활동지로 사고력 연산 이해도 향상

B01 세 자리 수 — 목차

B01권에서는 A01권에서 학습한 두 자리 수에 대한 이해를 바탕으로 수의 범위를 1000까지 확장하여 세 자리 수를 학습합니다. 이때 사용되는 막대 모형과 동전 모형은 십진법의 원리가 포함되어 있기 때문에 10개씩 묶음과 낱개의 개수를 파악하는데 효과적인 도구입니다.

세 자리 수를 쓰고 읽는 활동과 자릿값의 원리에 중점을 두어 세 자리 수를 이해하고, 이후에 학습할 더 큰 수에 대한 기초를 다집니다.

1일차 몇백

100이 5인 수

500

100을 이해하고 몇 백과 천을 알아봅니다.

2일차 세 자리 수

100이 4개
10이 3개 435
1이 5개

세 자리 수에서 자릿값과 자리의 숫자를 이해합니다.

학습관리표

일자			소요 시간	틀린 문항 수	확인
❶ 일차	월	일	:		
❷ 일차	월	일	:		
❸ 일차	월	일	:		
❹ 일차	월	일	:		
❺ 일차	월	일	:		

3일차	세 자리 수 읽고 쓰기
362 삼백육십이	세 자리 수를 쓰고 읽는 방법을 익힙니다.

4일차	뛰어 세기
547 548 549 550	뛰어세기를 통하여 세 자리 수의 계열을 숙달합니다.

5일차	두 수의 크기 비교
375 < 376	두 수의 크기를 비교하여 기호 >, < 로 나타냅니다.

	연산 실력 체크
	1주차 학습에 이어 2, 3, 4주차 학습을 원활히 하기 위하여 연산 실력 체크를 합니다. 연습이 더 필요할 경우에는 매스티안 홈페이지의 보충 학습을 풀어 봅니다.

1 주

몇백

❀ ☐ 안에 수 모형을 붙이고 ▨ 안에 알맞은 수를 써넣으시오.

준비물 ▶ 붙임 딱지

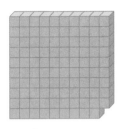

99 , 구십구

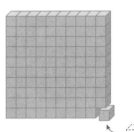

100 , 백

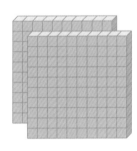

200 , 이백

, 삼백

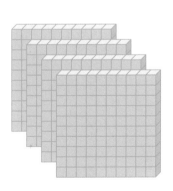

, 사백

, 오백

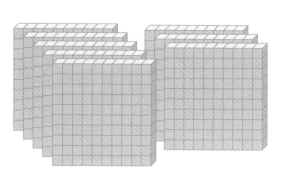

, 팔백

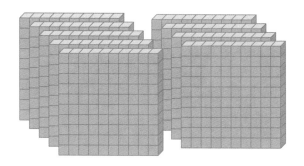

, 구백

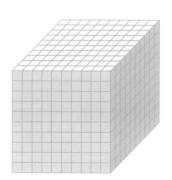

1000, 천

오 █ 안에 알맞은 수를 써넣으시오.

○ 보기 ○
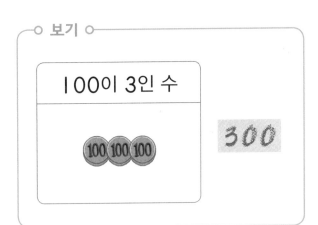

100이 3인 수

100 100 100   *300*

100이 5인 수

100 100 100 100 100

100이 2인 수

100 100

100이 7인 수

100 100 100 100 100
100 100

100이 9인 수

100 100 100 100 100
100 100 100 100

100이 10인 수

100 100 100 100 100
100 100 100 100 100

🌸 ⬜ 안에 알맞은 수를 써넣으시오.

100이 **6** 인 수

100이 ⬜ 인 수

100이 ⬜ 인 수

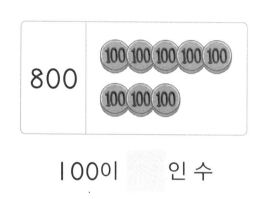

100이 ⬜ 인 수

100이 ⬜ 인 수

100이 ⬜ 인 수

🔵 █ 안에 알맞은 수를 써넣으시오.

100이 5인 수 ➡ 500   100이 3인 수 ➡

100이 7인 수 ➡   100이 4인 수 ➡

100이 8인 수 ➡   100이 6인 수 ➡

100이 2인 수 ➡   100이 9인 수 ➡

100이 1인 수 ➡   100이 10인 수 ➡

♀ ▨ 안에 알맞은 수를 써넣으시오.

200 ➡ 100이 **2** 인 수   700 ➡ 100이 ▨ 인 수

900 ➡ 100이 ▨ 인 수   300 ➡ 100이 ▨ 인 수

100 ➡ 100이 ▨ 인 수   600 ➡ 100이 ▨ 인 수

500 ➡ 100이 ▨ 인 수   800 ➡ 100이 ▨ 인 수

400 ➡ 100이 ▨ 인 수   1000 ➡ 100이 ▨ 인 수

1
B01

오늘은 얼마나 잘했을까요?
칭찬 붙임 딱지를
붙여 주세요!

세 자리 수

🌷 빈칸에 동전을 붙이고 ▨ 안에 알맞은 수를 써넣으시오.

준비물 ▶ 붙임 딱지

백의 자리	십의 자리	일의 자리
💿 2개	🔘 3개	🪙 1개
100 100	10 10 10	1

➡ 231

백의 자리	십의 자리	일의 자리
💿 4개	🔘 7개	🪙 3개
100 100 100 100	10 10 10 10 10 10 10	

➡

백의 자리	십의 자리	일의 자리
💿 3개	🔘 1개	🪙 9개
100 100 100		1 1 1 1 1 1 1 1 1

➡

👤 빈칸에 동전을 붙이고 알맞은 수를 써넣으시오.

준비물 ▶ 붙임 딱지

237

백의 자리	십의 자리	일의 자리
100 100	10 10 10	1 1 1 1 1 1 1
200	30	7

465

백의 자리	십의 자리	일의 자리
	10 10 10 10 10 10	1 1 1 1 1

843

백의 자리	십의 자리	일의 자리
100 100 100 100 100 100 100 100	10 10 10 10	

1
B01

오 안에 알맞은 수를 써넣으시오.

100이 3개
10이 0개   304
1이 4개

100이 3개
10이 6개
1이 2개

100이 7개
10이 3개
1이 5개

100이 9개
10이 2개
1이 0개

100이 4개
10이 0개
1이 1개

100이 8개
10이 8개
1이 4개

🌱 ▨ 안에 알맞은 수를 써넣으시오.

435 — 100이 **4** 개
      10이 **3** 개
      1이 **5** 개

549 — 100이 ▨ 개
      10이 ▨ 개
      1이 ▨ 개

610 — 100이 ▨ 개
      10이 ▨ 개
      1이 ▨ 개

206 — 100이 ▨ 개
      10이 ▨ 개
      1이 ▨ 개

872 — 100이 ▨ 개
      10이 ▨ 개
      1이 ▨ 개

968 — 100이 ▨ 개
      10이 ▨ 개
      1이 ▨ 개

2 일차

○ 주어진 수의 자릿값을 빈칸에 알맞게 써넣으시오.

3	2	4
백의 자리	십의 자리	일의 자리
3	0	0
	2	0
		4

2	5	6
백의 자리	십의 자리	일의 자리

5	1	5
백의 자리	십의 자리	일의 자리

6	8	4
백의 자리	십의 자리	일의 자리

9	4	3
백의 자리	십의 자리	일의 자리

4	7	7
백의 자리	십의 자리	일의 자리

🌸 빨간색 숫자가 나타내는 수를 아래에서 찾아 ◯표 하시오.

674		
700	⬭70⬭	7

253		
500	50	5

516		
600	60	6

462		
400	40	4

195		
100	10	1

893		
300	30	3

489		
800	80	8

967		
900	90	9

오늘은 얼마나 잘했을까요?
칭찬 붙임 딱지를
붙여 주세요!

세 자리 수 읽고 쓰기

🌷 빈칸에 동전을 붙이고 알맞은 수 또는 말을 써넣으시오.

준비물 ▶ 붙임 딱지

234

백의 자리	십의 자리	일의 자리
100 100	10 10 10	1 1 1 1
200	30	4
이백	삼십	

359

백의 자리	십의 자리	일의 자리
	10 10 10 10 10	1 1 1 1 1 1 1 1 1

726

백의 자리	십의 자리	일의 자리
100 100 100 100 100 100 100		1 1 1 1 1 1

👤 빈칸에 알맞은 수를 써넣고 세 자리 수로 나타내시오.

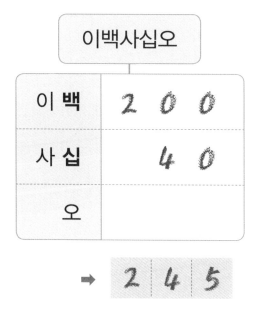

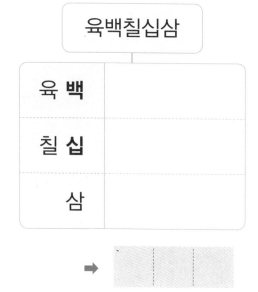

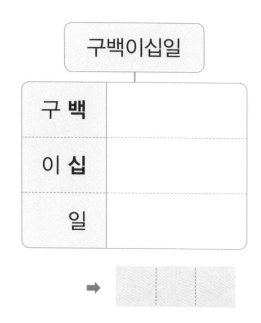

○ 빈칸에 알맞은 말을 써넣어 수를 읽어 보시오.

─○ 보기 ○─

2	3	4
백의 자리	십의 자리	일의 자리
이백	삼십	사

4	9	5
백의 자리	십의 자리	일의 자리
사백		

5	7	6
백의 자리	십의 자리	일의 자리

3	2	0
백의 자리	십의 자리	일의 자리

7	0	2
백의 자리	십의 자리	일의 자리

6	8	9
백의 자리	십의 자리	일의 자리

● 빈칸에 알맞은 수를 써넣으시오.

○ 보기 ○

사백	칠십	팔
백의 자리	십의 자리	일의 자리
4	7	8

이백	오십	칠
백의 자리	십의 자리	일의 자리
2		

육백	십	이
백의 자리	십의 자리	일의 자리

팔백	육십	
백의 자리	십의 자리	일의 자리

백	삼십	오
백의 자리	십의 자리	일의 자리

삼백		구
백의 자리	십의 자리	일의 자리

3

일차

○ 수를 읽어 보시오.

304 ➡ 삼백사   247 ➡

403 ➡   560 ➡

876 ➡   312 ➡

259 ➡   777 ➡

141 ➡   908 ➡

😊 안에 알맞은 수를 써넣으시오.

사백칠십이 ➡ 472   이백구십삼 ➡

칠백팔십구 ➡   육백오 ➡

삼백사십 ➡   팔백십육 ➡

이백삼 ➡   백이십사 ➡

구백삼십일 ➡   육백육십사 ➡

1
B01

4 일차 뛰어 세기

🌷 안에 동전을 붙이며 일정한 수만큼씩 수를 뛰어 세어 보시오.

준비물 ▶ 붙임 딱지

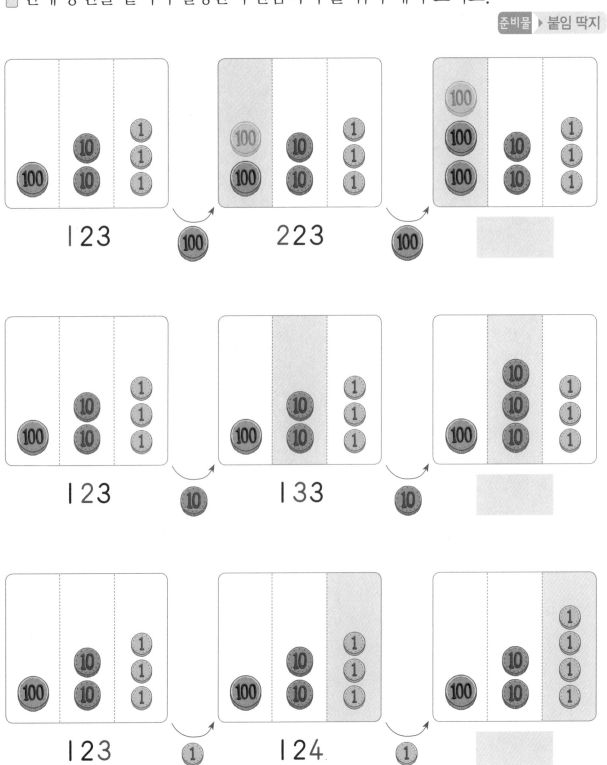

👤 주어진 수만큼씩 수를 뛰어 세어 ☐ 안에 알맞은 수를 써넣으시오.

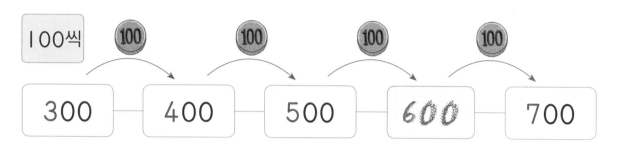

100씩

300 → 400 → 500 → *600* → 700

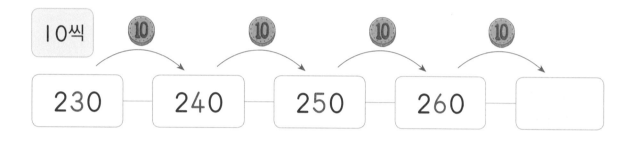

10씩

230 → 240 → 250 → 260 → ☐

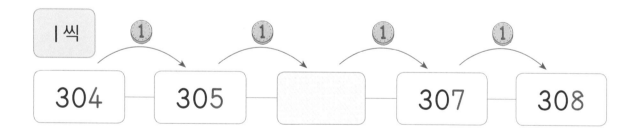

1씩

304 → 305 → ☐ → 307 → 308

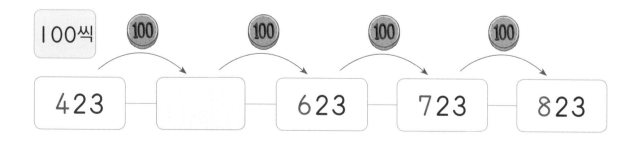

100씩

423 → ☐ → 623 → 723 → 823

수의 규칙을 찾아 ▢ 안에 알맞은 수를 써넣으시오.

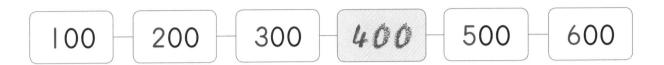

100 — 200 — 300 — *400* — 500 — 600

200 — 210 — 220 — 230 — ▢ — 250

340 — 341 — ▢ — 343 — 344 — 345

130 — 140 — 150 — 160 — 170 — ▢

401 — ▢ — 601 — 701 — 801 — 901

162 — 172 — 182 — [　] — 202 — 212

275 — 375 — 475 — 575 — 675 — [　]

468 — 469 — [　] — 471 — 472 — 473

949 — 959 — 969 — 979 — [　] — 999

752 — 762 — 772 — 782 — 792 — [　]

수의 규칙을 찾아 ☐ 안에 알맞은 수를 써넣으시오.

275 — 285 — 295 — 305 — 315 — ☐

547 — 548 — 549 — ☐ — 551 — 552

381 — 481 — 581 — 681 — ☐ — 881

843 — 844 — 845 — 846 — 847 — ☐

658 — 668 — 678 — 688 — 698 — ☐

324 — 325 — ☐ — 327 — 328 — ☐

262 — 362 — 462 — ☐ — 662 — ☐

503 — ☐ — ☐ — 506 — 507 — 508

898 — 908 — ☐ — 928 — ☐ — 948

412 — ☐ — 612 — ☐ — 812 — 912

두 수의 크기 비교

❁ 주어진 수만큼 ☐ 안에 동전을 붙이고 ⬤ 안에 >, <를 알맞게 써넣으시오.

준비물 ▶ 붙임 딱지

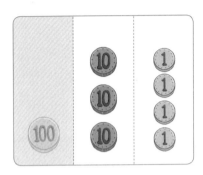

134 ⬤ 213

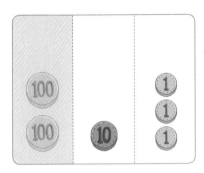

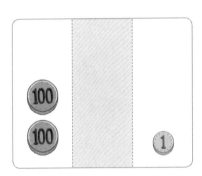

231 ⬤ 221

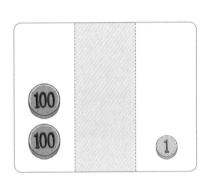

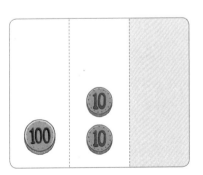

123 ⬤ 124

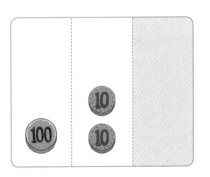

동전으로 수의 크기를 비교하여 ● 안에 >, <를 알맞게 써넣으시오.

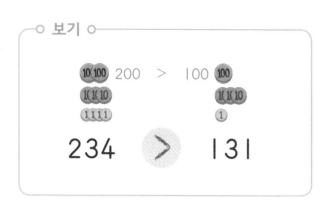

보기

234 > 131

200 > 100

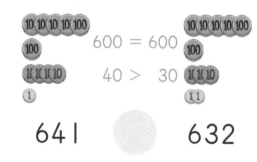

300 < 400

323 ● 412

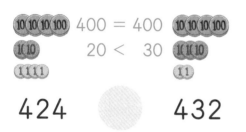

400 = 400
20 < 30

424 ● 432

600 = 600
40 > 30

641 ● 632

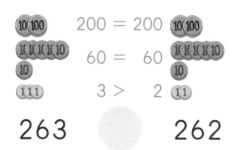

200 = 200
60 = 60
3 > 2

263 ● 262

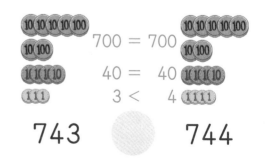

700 = 700
40 = 40
3 < 4

743 ● 744

🔍 두 수의 크기를 비교하여 ⬤ 안에 >, <를 알맞게 써넣으시오.

2 0 0   <   3 0 0
243   **<**   **351**

5 0 0   >   4 0 0
526   ⬤   **425**

8 0 0   =   8 0 0
6 0   >   5 0
864   ⬤   **859**

5 0 0   =   5 0 0
8 0   <   9 0
584   ⬤   **594**

3 0 0   =   3 0 0
7 0   <   8 0
370   ⬤   **386**

7 0 0   =   7 0 0
6 0   >   5 0
763   ⬤   **751**

1 0 0   =   1 0 0
5 0   =   5 0
6   >   4
156   ⬤   **154**

6 0 0   =   6 0 0
4 0   =   4 0
4   <   9
644   ⬤   **649**

5 0 0   =   5 0 0
5 0   =   5 0
7   >   3
557   ⬤   **553**

9 0 0   =   9 0 0
7 0   =   7 0
5   <   8
975   ⬤   **978**

안에 >, <를 알맞게 써넣으시오.

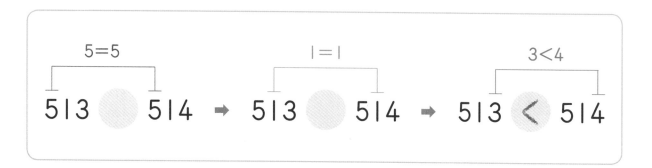

261 〇 252

430 〇 431

439 〇 448

758 〇 659

830 〇 881

697 〇 692

778 〇 769

942 〇 948

오 ⬤ 안에 >, <를 알맞게 써넣으시오.

300 ⬤ 200   410 ⬤ 500

350 ⬤ 420   220 ⬤ 210

483 ⬤ 489   590 ⬤ 600

517 ⬤ 608   352 ⬤ 349

657 ⬤ 651   847 ⬤ 862

600 ⬤ 599   780 ⬤ 786

600 500

400 340

572 672

749 746

900 899

182 187

790 800

560 550

352 358

873 876

989 990

440 439

연산 실력 체크

🐤 2~4주 사고력 연산을 학습하기 전에 기본 연산 실력을 점검해 보세요.

🌷 안에 알맞은 수를 써넣으시오.

1. 100이 2인 수

2. 100이 5인 수

3. 100이 7인 수

4. 800 ➡ 100이 ☐ 인 수

5. 300 ➡ 100이 ☐ 인 수

6. 600 ➡ 100이 ☐ 인 수

7. 100이 5개
10이 2개
1이 4개
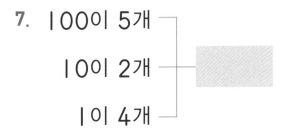

8. 100이 2개
10이 0개
1이 9개

9. 100이 6개
10이 8개
1이 0개
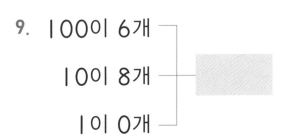

10. 100이 9개
10이 6개
1이 3개

밑줄 친 수가 나타내는 수를 찾아 ◯표 하시오.

11. 8<u>3</u>9 ➡ (300, 30, 3)

12. <u>5</u>34 ➡ (500, 50, 5)

13. 28<u>3</u> ➡ (300, 30, 3)

14. <u>9</u>27 ➡ (900, 90, 9)

15. 32<u>9</u> ➡ (900, 90, 9)

16. 5<u>8</u>1 ➡ (800, 80, 8)

빈 곳에 알맞은 말 또는 수를 써넣으시오.

17. 263 _____

18. 580 _____

19. 617 _____

20. 409 _____

21. 삼백육십사

22. 오백구십삼

23. 팔백칠

24. 육백이십구

25. 사백오십

26. 백육

■ 안에 알맞은 수를 써넣으시오.

🌷 ● 안에 >, <를 알맞게 써넣으시오.

27.

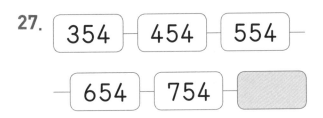

354 — 454 — 554 —
— 654 — 754 — ☐

31. 730 ● 729

32. 365 ● 368

28.

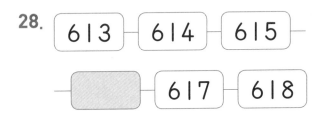

613 — 614 — 615 —
☐ — 617 — 618

33. 605 ● 595

34. 824 ● 827

29.

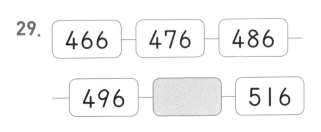

466 — 476 — 486 —
— 496 — ☐ — 516

35. 279 ● 280

30.

699 — 700 — ☐ —
— 702 — 703 — 704

36. 929 ● 925

37. 501 〇 500

39. 799 〇 899

38. 726 〇 764

40. 437 〇 435

연산 실력 분석

오답 수에 맞게 학습을 진행하시기 바랍니다.

평가	오답 수	학습 방법
최고예요	0 ~ 2개	전반적으로 학습 내용에 대해 정확히 이해하고 있으며 매우 우수합니다. 기본 연산 문제를 자신 있게 풀 수 있는 실력을 갖추었으므로 이제는 사고력을 향상시킬 차례입니다. 2주차부터 차근차근 학습을 진행해 보세요. 학습 [2주차] → [3주차] → [4주차]
잘했어요	3 ~ 4개	기본 연산 문제를 전반적으로 잘 이해하고 풀었지만 약간의 실수가 있는 것 같습니다. 틀린 문제를 다시 한 번 풀어 보고, 문제를 차근차근 푸는 습관을 갖도록 노력해 보세요. 매스티안 홈페이지에서 제공하는 보충 학습으로 연산 실력을 향상시킨 후 2, 3, 4주차 학습을 진행해 주세요. 학습 [틀린 문제 복습] → [보충 학습] → [2주차] → …
노력해요	5개 이상	개념을 정확하게 이해하고 있지 않아 연산을 하는데 어려움이 있습니다. 개념을 이해하고 연산 문제를 반복해서 연습해 보세요. 매스티안 홈페이지에서 제공하는 보충 학습이 연산 실력을 향상시키는데 도움이 될 것입니다. 여러분도 곧 연산왕이 될 수 있습니다. 조금만 힘을 내 주세요. 학습 [1주차 원리 중심 복습] → [보충 학습] → [2주차] → …

매스티안 홈페이지 : www.mathtian.com

학습관리표

일 자			소요 시간	틀린 문항 수	확인
❶ 일차	월	일	:		
❷ 일차	월	일	:		
❸ 일차	월	일	:		
❹ 일차	월	일	:		
❺ 일차	월	일	:		

2주

수 나타내기

❁ 고대 페루에서 매듭으로 수를 나타냈던 '키푸'의 규칙을 찾아 ⬜ 안에 알맞은
수를 써넣으시오.

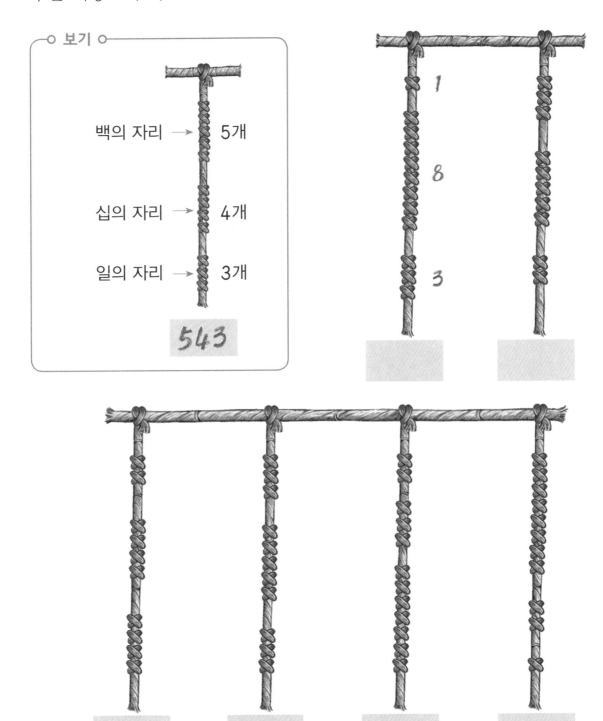

○ 보기 ○

백의 자리 → 5개

십의 자리 → 4개

일의 자리 → 3개

543

1

8

3

🔵 주판의 규칙을 찾아 ▨ 안에 알맞은 수를 써넣으시오.

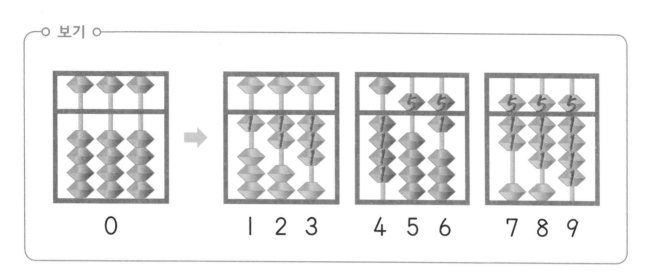

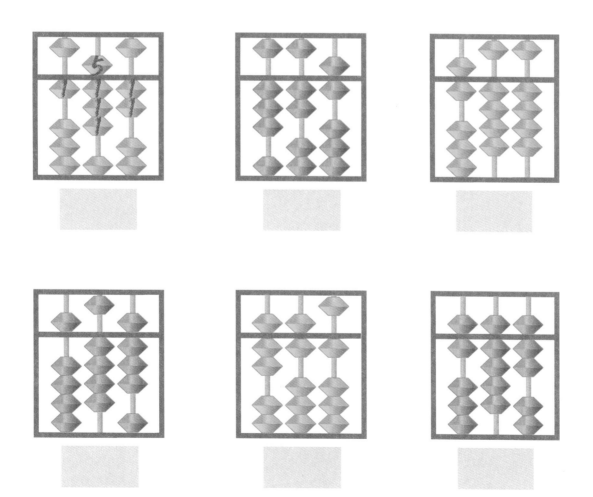

주판이 나타내는 수를 매듭으로 수를 나타내는 '키푸'로 표현해 보시오.

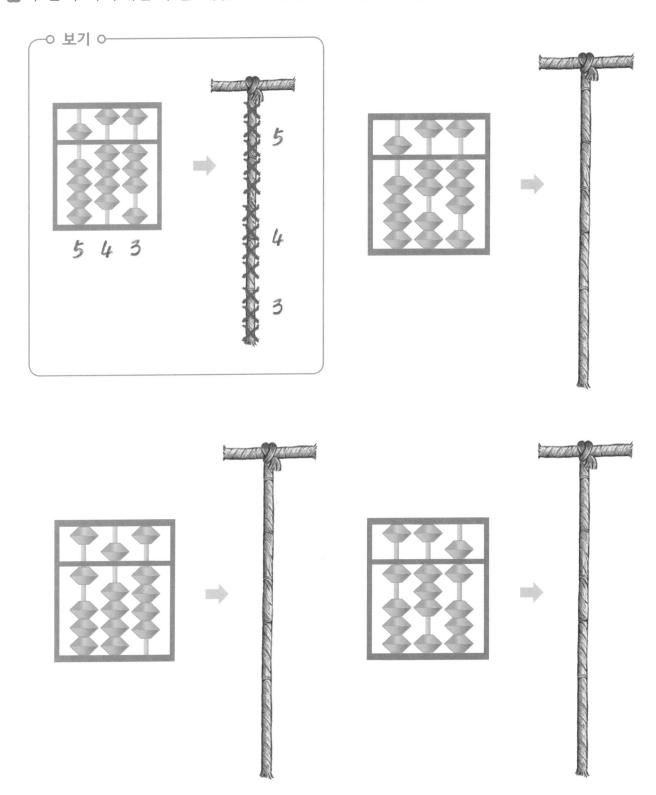

주판이 나타내는 수를 찾아 미로를 통과하시오.

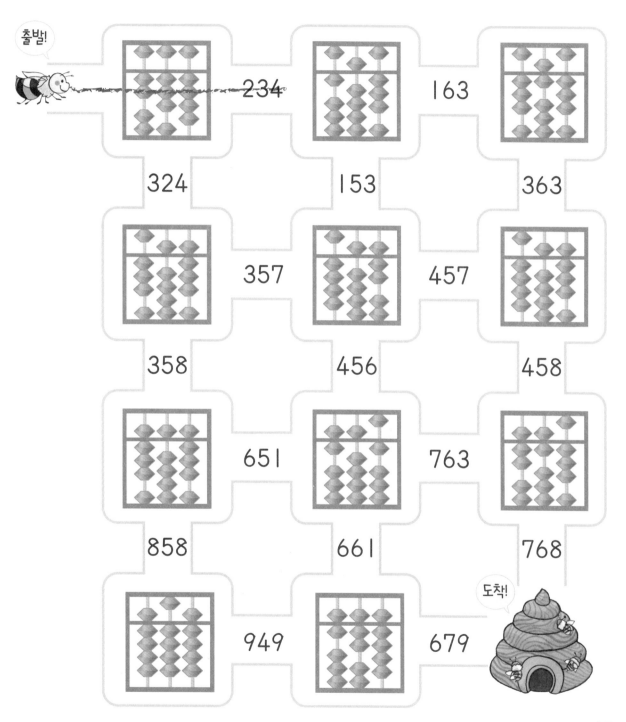

세 자리 수 만들기

 온라인 활동지

❧ 숫자 카드를 사용하여 세 자리 수를 만들어 보시오.

| 3 | 6 | 9 |

| 백 | 십 | 일 | 세 자리 수 |

3 ─ 6 ─ 9 ➡ 3 6 9

3 ─ 9 ─ 6 ➡ ☐ ☐ ☐

6 ─ 3 ─ 9 ➡ ☐ ☐ ☐

6 ─ 9 ─ ☐ ➡ ☐ ☐ ☐

9 ─ 3 ─ 6 ➡ ☐ ☐ ☐

9 ─ 6 ─ ☐ ➡ ☐ ☐ ☐

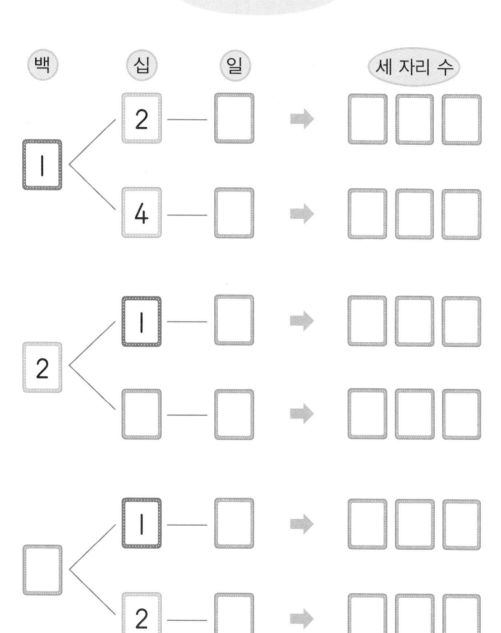

숫자 카드를 사용하여 세 자리 수를 만들어 보시오.

| 1 | 4 | 7 |

| 3 | 0 | 8 |

| 5 | 5 | 9 |

주어진 수를 사용하여 세 자리 수를 만들어 보시오.

2
B01

3 일차

뛰어 세기

🌷 주어진 수만큼씩 뛰어 센 수에 색칠하시오.

준비물 ▶ 색연필

시작! 1 2

2씩

151	152	153	154	155	156	157	158	159	160
161	162	163	164	165	166	167	168	169	170
171	172	173	174	175	176	177	178	179	180

시작! 1 2 3 4 5

5씩

141	142	143	144	145	146	147	148	149	150
151	152	153	154	155	156	157	158	159	160
161	162	163	164	165	166	167	168	169	170

시작! 1 2 3 4

4씩

161	162	163	164	165	166	167	168	169	170
171	172	173	174	175	176	177	178	179	180
181	182	183	184	185	186	187	188	189	190
191	192	193	194	195	196	197	198	199	200

○ 뛰어 센 수를 ▨ 안에 쓰고 알맞게 색칠하시오.

준비물 ▶ 색연필

1   2   3

시작!

☐ 씩

121	122	123	124	125	126	127	128	129	130
131	132	133	134	135	136	137	138	139	140
141	142	143	144	145	146	147	148	149	150

시작!

☐ 씩

151	152	153	154	155	156	157	158	159	160
161	162	163	164	165	166	167	168	169	170
171	172	173	174	175	176	177	178	179	180

시작!

☐ 씩

161	162	163	164	165	166	167	168	169	170
171	172	173	174	175	176	177	178	179	180
181	182	183	184	185	186	187	188	189	190
191	192	193	194	195	196	197	198	199	200

2
B01

♣ 수 배열표를 보고 ☐ 안에 알맞은 수를 써넣으시오.

101				105	106			109	110
111		113							120
121					126		128		
	132		134						
	153			156		158			
161	162								
			175						180
181			184			187	188	189	190
191								199	200

+10 *+1*

· 연두색 줄은 187부터 **190** 까지 ☐ 씩 뛰어 센 것입니다.

· 주황색 줄은 156부터 ☐ 까지 ☐ 씩 뛰어 센 것입니다.

· 보라색 줄은 111부터 ☐ 까지 ☐ 씩 뛰어 센 것입니다.

· 하늘색 줄은 109부터 ☐ 까지 ☐ 씩 뛰어 센 것입니다.

🌻 조건에 맞는 수를 수 배열표에서 찾아 알맞게 색칠하시오.

준비물 ▶ 색연필

- ◯ : 116부터 146까지 10씩 뛰어 센 수
- ◯ : 156부터 160까지 1씩 뛰어 센 수
- ◯ : 106부터 151까지 9씩 뛰어 센 수
- ◯ : 162부터 195까지 11씩 뛰어 센 수

2

B01

101		103			106				
111	112				116				
					126				130
					136				
				145					
151					156		158		160
	162								
								179	
		183	184						
					196				200

116 ↘ +10
126 ↙ +10
136 ↙

🌷 수 배열표의 규칙을 찾아 ⬤, ▲, ⬛ 안에 알맞은 수를 써넣으시오.

+▲ **1**	+▲								
101	102	103	104	105	106	107	108	109	110
111	112	113	114	115	116	117	118	119	120
121	122	123	124	125	126	127	128	129	130
⋮	⋮	⋮	⋮	⋮	⋮	⋮	⋮	⋮	⋮
191	192	193	194	195	196	197	198	199	200

+⬤ 10

+⬤

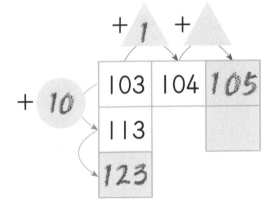

103	104	105
113		
123		

+ 10

+▲ 1   +▲

118		
	129	

162		
	184	

175		

+50 +▲

+20

+○

310	360	410	460	510	560
330	380	430	480	530	580
350	400	450	500	550	600
⋮	⋮	⋮	⋮	⋮	⋮
650	700	750	800	850	900

2
B01

+50 +▲

+20

+○

| 310 | 360 | |
| 330 | | |

430	
420	

450	
490		640

540	
	680	

○ 수 배열표의 규칙을 찾아 쓰고, 얼룩진 곳에 알맞은 수를 써넣으시오.

규칙 오른쪽으로 갈수록 **10** 씩 커지고, 아래로 갈수록 〔   〕 씩 커집니다.

400	410	420	430	440
450	460			
				540
550	560	570	580	590

규칙 오른쪽으로 갈수록 〔   〕 씩 커지고, 아래로 갈수록 〔   〕 씩 커집니다.

512		524	530	536
	548		560	
572	578			
602		614		626

♠ 수 배열표의 규칙을 찾아 쓰고, ▨ 안에 알맞은 수를 써넣으시오.

규칙 오른쪽으로 갈수록 ▨▨▨ 씩 커지고, 아래로 갈수록 ▨▨▨ 씩 커집니다.

2
B01

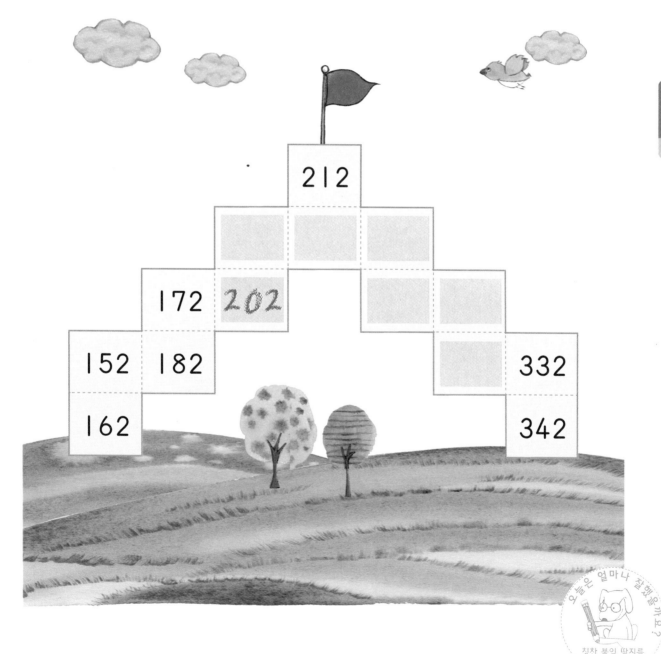

5 일차

두 수의 크기 비교

🌷 □ 안에 들어갈 수 있는 숫자를 모두 찾아 ◯표 하시오.

┌─ 보기 ─

236 < 23□

237⃝
238⃝
239⃝

→

| 0 | 1 | 2 | 3 | 4 |
| 5 | 6 | ⑦ | ⑧ | ⑨ |

314 < 31□

→

| 0 | 1 | 2 | 3 | 4 |
| 5 | 6 | 7 | 8 | 9 |

75□ < 756

→

| 0 | 1 | 2 | 3 | 4 |
| 5 | 6 | 7 | 8 | 9 |

5 ☐ 9 < 579   ➡

0	1	2	3	4
5	6	7	8	9

☐ 14 > 517   ➡

0	1	2	3	4
5	6	7	8	9

☐ 38 < 736   ➡

0	1	2	3	4
5	6	7	8	9

♀ □ 안에 공통으로 들어갈 수 있는 숫자를 찾아 ▨ 안에 써넣으시오.

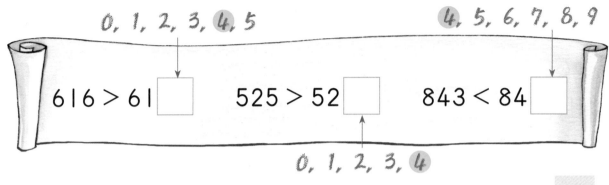

0, 1, 2, 3, ④, 5   ④, 5, 6, 7, 8, 9

616 > 61□   525 > 52□   843 < 84□

0, 1, 2, 3, ④

공통으로 들어갈 수 있는 숫자 : ▨

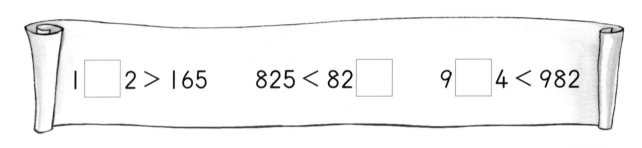

1□2 > 165   825 < 82□   9□4 < 982

공통으로 들어갈 수 있는 숫자 : ▨

750 > 7□1   789 > □78   □54 < 161

공통으로 들어갈 수 있는 숫자 : ▨

❀ □ 안에 들어갈 수 있는 수를 따라가며 아기 병아리를 엄마 닭에게 데려다 주시오.

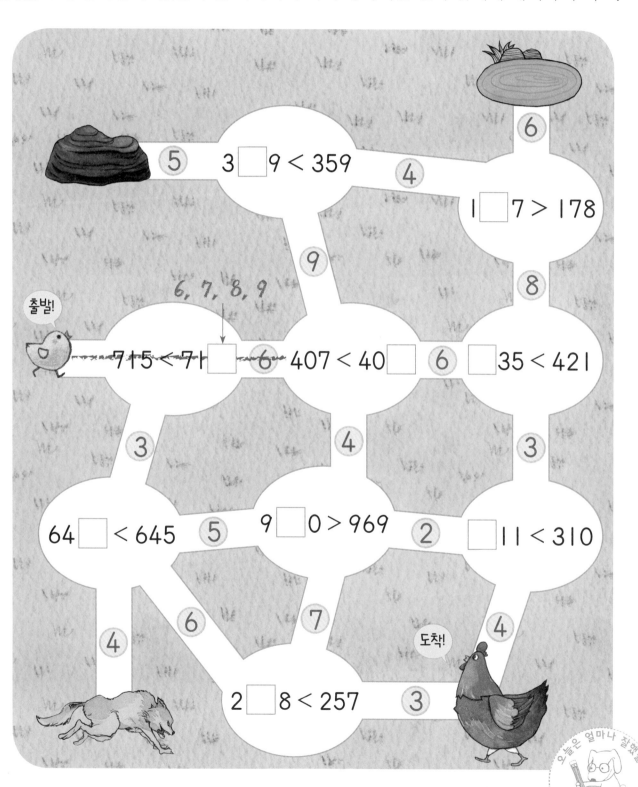

학습관리표

일 자			소요 시간	틀린 문항 수	확인
❶ 일차	월	일	:		
❷ 일차	월	일	:		
❸ 일차	월	일	:		
❹ 일차	월	일	:		
❺ 일차	월	일	:		

❸ 주

팔린드롬

🌷 ▨ 안에 알맞게 써넣고 팔린드롬이 맞는지 알아보시오.

팔린드롬

※ 팔린드롬 : 앞에서부터 바로 읽어도, 뒤에서부터 거꾸로 읽어도 같은 것

오디오 ──바로 읽기──▶ 오디오
오디오 ◀──거꾸로 읽기── 오디오

팔린드롬이 **맞습니다**.

고구마 ──바로 읽기──▶ 고구마
마구고 ◀──거꾸로 읽기── 고구마

팔린드롬이 **아닙니다**.

별똥별 ──바로 읽기──▶ ▨
▨ ◀──거꾸로 읽기── 별똥별

팔린드롬이 (**맞습니다** , **아닙니다**).

두더지 ──바로 읽기──▶ ▨
▨ ◀──거꾸로 읽기── 두더지

팔린드롬이 (**맞습니다** , **아닙니다**).

707 ──바로 읽기──▶ ▨
▨ ◀──거꾸로 읽기── 707

팔린드롬이 (**맞습니다** , **아닙니다**).

788 ──바로 읽기──▶ ▨
▨ ◀──거꾸로 읽기── 788

팔린드롬이 (**맞습니다** , **아닙니다**).

가로, 세로, 대각선으로 만들 수 있는 세 자리 팔린드롬 수 3개를 찾아 묶으시오.

○ 보기 ○

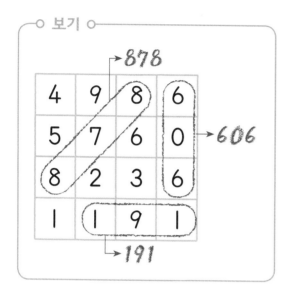

→ 878

4	9	8	6
5	7	6	0
8	2	3	6
1	1	9	1

→ 606

→ 191

4	5	8	7
6	3	5	1
1	2	4	7
5	9	7	9

1	3	6	3
2	6	7	1
1	8	3	9
6	1	9	6

8	9	8	7
1	2	5	3
3	4	6	1
5	7	8	3

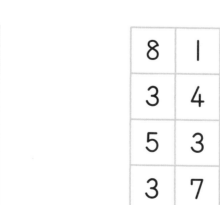

8	1	7	9
3	4	0	5
5	3	2	1
3	7	4	7

● 팔린드롬 수가 되도록 ☐ 안에 알맞은 숫자를 써넣으시오.

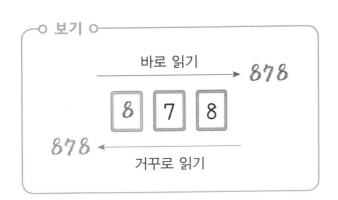

보기

바로 읽기 → 878

| 8 | 7 | 8 |

878 ← 거꾸로 읽기

| ☐ | 2 | 3 |

| ☐ | 0 | 9 |

| ☐ | 6 | 2 |

| 6 | 4 | ☐ |

| 3 | 8 | ☐ |

| 1 | 6 | ☐ |

| 5 | 2 | ☐ |

✿ ☐ 안에 알맞은 숫자를 써넣어 팔린드롬 수를 5개보다 많이 만들어 보시오.

505, 515

3

B01

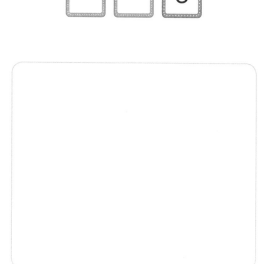

2 일차

가로·세로 퍼즐

🌷 주어진 수의 특징으로 옳지 **않은** 것을 찾아 ✕표 하시오.

○ 보기 ○

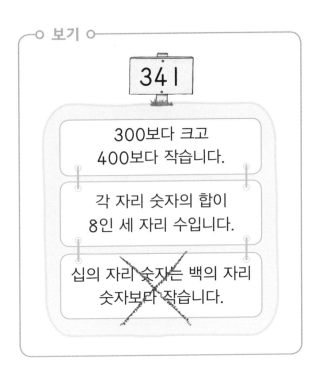

341

300보다 크고
400보다 작습니다.

각 자리 숫자의 합이
8인 세 자리 수입니다.

~~십의 자리 숫자는 백의 자리
숫자보다 작습니다.~~ ✕

217

200보다 크고
300보다 작습니다.

각 자리 숫자의 합이
9인 세 자리 수입니다.

각 자리 숫자 중 십의 자리
숫자가 가장 작습니다.

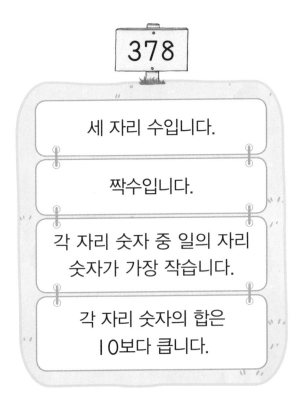

378

세 자리 수입니다.

짝수입니다.

각 자리 숫자 중 일의 자리
숫자가 가장 작습니다.

각 자리 숫자의 합은
10보다 큽니다.

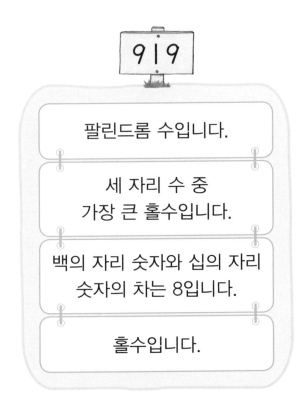

919

팔린드롬 수입니다.

세 자리 수 중
가장 큰 홀수입니다.

백의 자리 숫자와 십의 자리
숫자의 차는 8입니다.

홀수입니다.

♀ 주어진 수를 보고 █ 안에 알맞은 수 또는 말을 써넣으시오.

559

- 백의 자리 숫자는 **십** 의 자리 숫자와 같습니다.

- ▢ 의 자리 숫자는 5보다 큽니다.

- 각 자리 숫자를 모두 더하면 ▢ 입니다.

341

- 각 자리 숫자의 합은 ▢ 입니다.

- 백의 자리 숫자는 ▢ 의 자리 숫자보다 작습니다.

- ▢ 의 자리 숫자에서 백의 자리 숫자를 빼면 ▢ 의 자리 숫자가 됩니다.

607

- ▢ 의 자리 숫자는 1보다 작습니다.

- 백의 자리 숫자와 일의 자리 숫자를 더하면 ▢ 입니다.

- 백의 자리 숫자는 ▢ 의 자리 숫자보다 크고, ▢ 의 자리 숫자보다 작습니다.

3

B01

🌸 주어진 가로·세로 열쇠를 보고 퍼즐을 완성하시오.

① 4	1	㉠ 7			
		②		㉡	
④	㉣				
			③		㉢

가로 열쇠

① 사백십칠입니다. → 417

② 609보다 10 작은 수입니다.

③ 일의 자리 숫자는 1이고 백의 자리 숫자는 일의 자리 숫자보다 1 큰 수입니다.

④ 103에서 5씩 4번 뛴 수입니다.

세로 열쇠

㉠ 칠백오십보다 3 큰 수입니다.

㉡ 구백팔십입니다.

㉢ 99보다 1 큰 수입니다.

㉣ 십의 자리 숫자가 9이고 팔린드롬인 세 자리 수입니다.

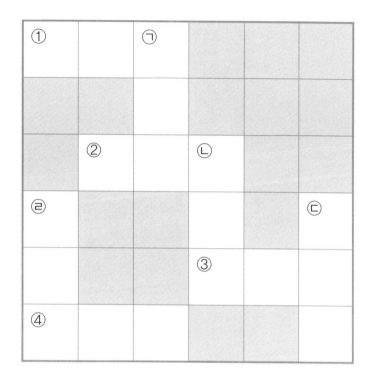

가로 열쇠

① 100이 2, 10이 5, 1이 9인 수입니다.

② 900보다 2 작은 수입니다.

③ 십의 자리 숫자가 3이고, 각 자리 숫자의 합이 10인 세 자리 수입니다.

④ 600보다 작은 수 중에서 가장 큰 홀수입니다.

세로 열쇠

㉠ 1000보다 1 작은 수입니다.

㉡ 팔백육입니다.

㉢ 십의 자리 숫자가 백의 자리 숫자보다 1 작고, 일의 자리 숫자가 십의 자리 숫자보다 1 작은 수입니다.

㉣ 335보다 100 큰 수입니다.

3

B01

조건에 맞는 세 자리 수

🌷 숫자 카드를 사용하여 세 자리 수를 만들고 알맞은 것끼리 선으로 이으시오.

온라인 활동지

| 2 | 4 | 7 |

백　　십　　일　　　세 자리 수

2
4 — 7 ➡ 2 4 7 •

7 — ☐ ➡ ☐ ☐ ☐ •

　　　　　　　　　　　　　　• 가장 큰 수

　　　　　　　　　　　　　　• 가장 작은 수

4
2 — 7 ➡ ☐ ☐ ☐ •

☐ — ☐ ➡ ☐ ☐ ☐ •

　　　　　　　　　　　　　　• 둘째로 큰 수

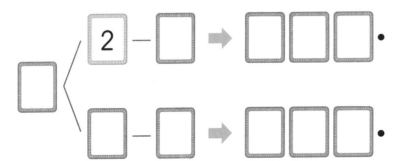

　　　　　　　　　　　　　　• 둘째로 작은 수

숫자 카드를 사용하여 세 자리 수를 만들고 ▨ 안에 알맞은 수를 써넣으시오.

온라인 활동지

| 4 | 5 | 8 |

만들 수 있는 세 자리 수

가장 작은 수 :

둘째로 작은 수 :

가장 큰 수 :

둘째로 큰 수 :

3

B01

| 6 | 0 | 3 |

만들 수 있는 세 자리 수

가장 작은 수 :

둘째로 작은 수 :

가장 큰 수 :

둘째로 큰 수 :

숫자 카드를 사용하여 조건 에 맞는 세 자리 수를 만들어 보시오.

📄 온라인 활동지

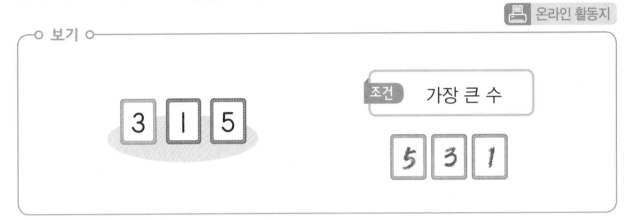

○ 보기 ○

3 1 5

조건 가장 큰 수

5 3 1

7 6 9

조건 가장 큰 수

4 6 5

조건 가장 작은 수

8 3 2

조건 가장 작은 수

5 0 8

 둘째로 큰 수

□ □ □

2 0 9

 둘째로 작은 수

□ □ □

7 5 7

 760보다 큰 수

□ □ □

3 3 1

 200보다 작은 수

□ □ □

3
B01

4 일차 뛰어 색칠하기

🌷 뛰어 센 수를 색칠하고, 이때 나타나는 줄무늬 개수를 ▨ 안에 써넣으시오.

100부터 6씩 뛰어 세기
줄무늬 **2** 개

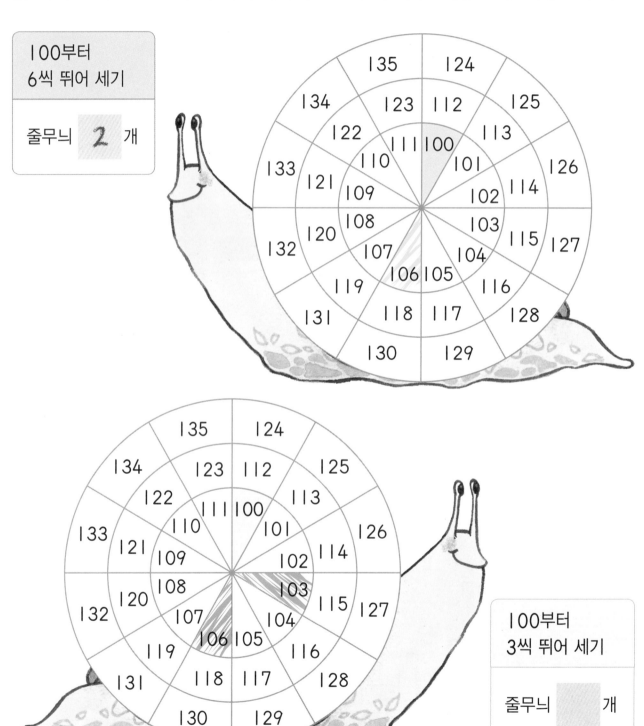

100부터 3씩 뛰어 세기
줄무늬 ▨ 개

100부터
4씩 뛰어 세기

줄무늬 　　　개

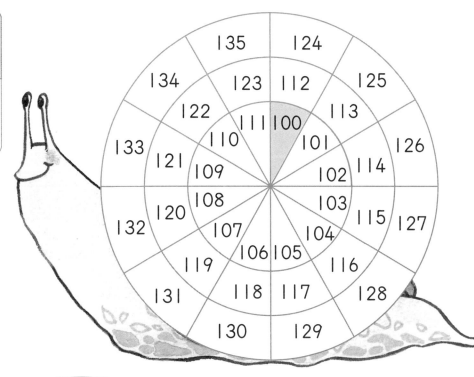

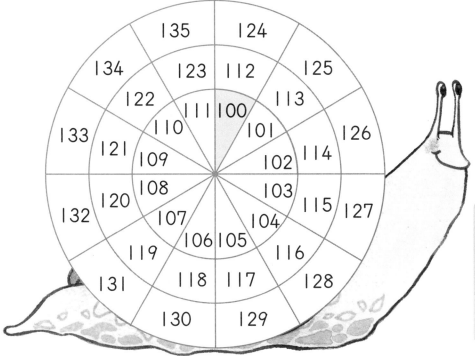

100부터

　　　씩 뛰어 세기

줄무늬 6개

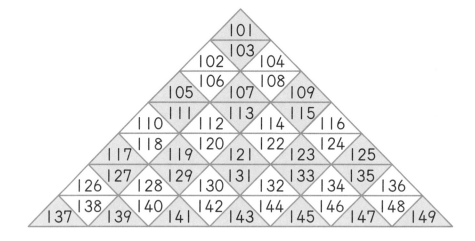

🧍 뛰어 세기를 하여 색칠한 모양을 보고 ▨ 안에 알맞은 수를 써넣으시오.

101부터

▨ 씩 뛰어 세기

					101				
				103					
			102	104					
		106	108						
	105	107	109						
111	113	115							
110	112	114	116						
118	120	122	124						
117	119	121	123	125					
127	129	131	133	135					
126	128	130	132	134	136				
138	140	142	144	146	148				
137	139	141	143	145	147	149			

200부터

▨ 씩 뛰어 세기

200	201	202	203	204	205	206	207	208	209
210	211	212	213	214	215	216	217	218	219
220	221	222	223	224	225	226	227	228	229
230	231	232	233	234	235	236	237	238	239
240	241	242	243	244	245	246	247	248	249
250	251	252	253	254	255	256	257	258	259

501부터

▨ 씩 뛰어 세기

501	502	503	504	505	506	507	508	509	510
511	512	513	514	515	516	517	518	519	520
521	522	523	524	525	526	527	528	529	530
531	532	533	534	535	536	537	538	539	540
541	542	543	544	545	546	547	548	549	550
551	552	553	554	555	556	557	558	559	560

100 부터

[ ] 씩 뛰어 세기

+

109 부터

[ ] 씩 뛰어 세기

100	101	102	103	104	105	106	107	108	109
110	111	112	113	114	115	116	117	118	119
120	121	122	123	124	125	126	127	128	129
130	131	132	133	134	135	136	137	138	139
140	141	142	143	144	145	146	147	148	149
150	151	152	153	154	155	156	157	158	159
160	161	162	163	164	165	166	167	168	169
170	171	172	173	174	175	176	177	178	179
180	181	182	183	184	185	186	187	188	189
190	191	192	193	194	195	196	197	198	199

3

B01

[ ] 부터

[ ] 씩 뛰어 세기

+

[ ] 부터

[ ] 씩 뛰어 세기

100	101	102	103	104	105	106	107	108	109
110	111	112	113	114	115	116	117	118	119
120	121	122	123	124	125	126	127	128	129
130	131	132	133	134	135	136	137	138	139
140	141	142	143	144	145	146	147	148	149
150	151	152	153	154	155	156	157	158	159
160	161	162	163	164	165	166	167	168	169
170	171	172	173	174	175	176	177	178	179
180	181	182	183	184	185	186	187	188	189

오늘은 얼마나 잘했을까요?

칭찬 붙임 딱지를
붙여 주세요!

세 수의 크기 비교

🌷 □ 안에 들어갈 수 있는 숫자를 모두 찾아 ⭕표 하시오.

○ 보기 ○

□ = 0, 1, 2, 3, 4, 5, 6

247 < 2 □ 6 < 275

□ = 5, 6, 7, 8, 9

0	1	2	3	4
⑤	⑥	7	8	9

0, 1, 2, 3, 4, 5

614 < 6 □ 3 < 663

0	1	2	3	4
5	6	7	8	9

342 < 34 □ < 347

0	1	2	3	4
5	6	7	8	9

576 < □ 39 < 826

0	1	2	3	4
5	6	7	8	9

♀ □ 안에 공통으로 들어갈 수 있는 숫자를 모두 찾아 ◯표 하시오.

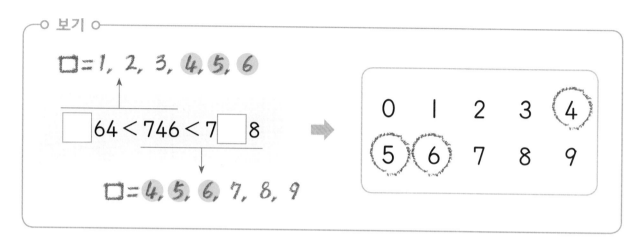

보기

$\square$ = 1, 2, 3, 4, 5, 6

$\square$64 < 746 < 7$\square$8

$\square$ = 4, 5, 6, 7, 8, 9

0	1	2	3	④
⑤	⑥	7	8	9

42$\square$ < 425 < 4$\square$3

0	1	2	3	4
5	6	7	8	9

5$\square$6 < 561 < 57$\square$

0	1	2	3	4
5	6	7	8	9

$\square$12 < 317 < 3$\square$9

0	1	2	3	4
5	6	7	8	9

♥, ★, ♣ 안에 들어갈 수 있는 알맞은 숫자를 써넣으시오.

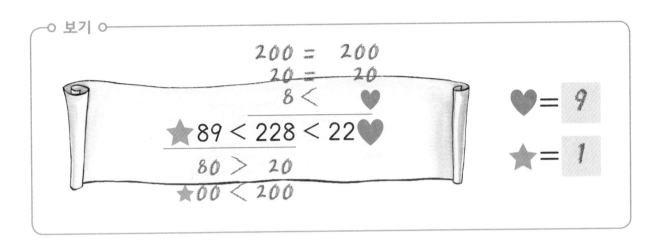

보기

$$200 = 200$$
$$20 = 20$$
$$8 < ♥$$

★89 < 228 < 22♥

$$80 > 20$$
$$★00 < 200$$

♥ = 9

★ = 1

329 < ★28 < 42♥

♥ =

★ =

6★1 < ♥08 < 707

♥ =

★ =

• B01 세 자리 수

768 < 76 ★ < ♥ 51 < 852

♥ =
★ =

49 ♣ < ★ 91 < 591 < 5 ♥ 3

♥ =
★ =
♣ =

387 < ★ ♣ 6 < 4 ♥ 5 < 413

♥ =
★ =
♣ =

학습관리표

일 자			소요 시간	틀린 문항 수	확인
❶ 일차	월	일	:		
❷ 일차	월	일	:		
❸ 일차	월	일	:		
❹ 일차	월	일	:		
❺ 일차	월	일	:		

4주

금액 만들기

🌷 주어진 금액을 동전 개수에 맞게 다양하게 표현해 보시오.

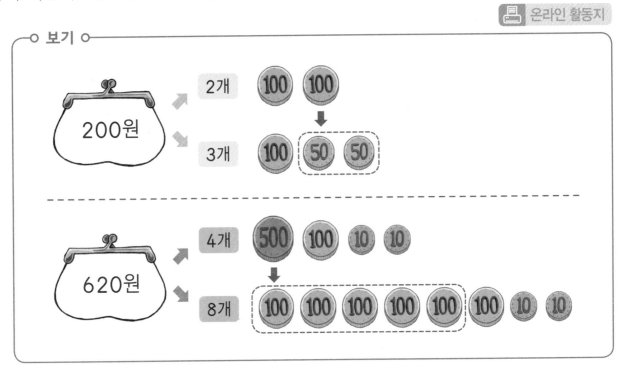

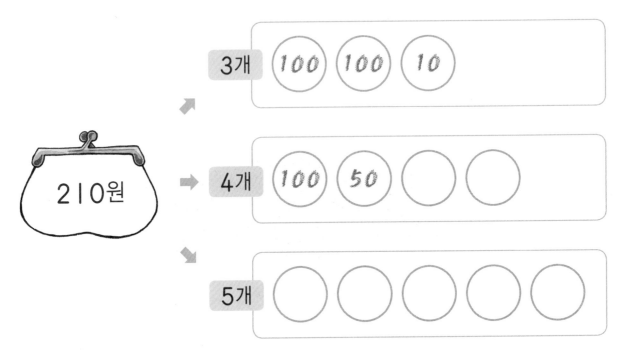

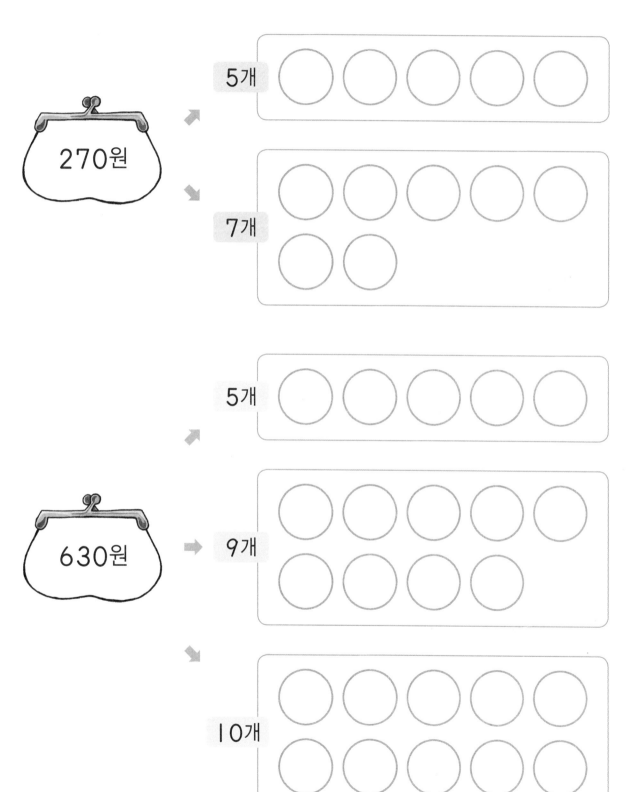

 온라인 활동지

👤 에 알맞은 동전을 찾아 ◯ 안에 써넣으시오.

─○ 보기 ○─

> 조건 • 동전 3개의 금액의 합은 110원입니다. → 50 50 10
>
> • 첫째 번 동전의 금액이 가장 작습니다. → 10 50 50

10   50   50

조건 • 동전 3개의 금액의 합은 200원입니다.

• 셋째 번 동전의 금액이 가장 큽니다.

50   ◯   ◯

조건 • 동전 3개의 금액의 합은 610원입니다.

• 금액의 크기가 큰 순서대로 놓여 있습니다.

◯   ◯   ◯

조건
- 동전 4개의 금액의 합은 300원입니다.
- 첫째 번 동전의 금액은 넷째 번 동전의 금액보다 큽니다.
- 둘째 번 동전의 금액은 셋째 번 동전의 금액보다 큽니다.

◯ ◯ ◯ ◯

조건
- 동전 4개의 금액의 합은 250원입니다.
- 첫째 번 동전과 둘째 번 동전의 금액의 합은 셋째 번 동전의 금액과 같습니다.

◯ ◯ ◯ ◯

4
B01

조건
- 동전 5개의 금액의 합은 760원입니다.
- 둘째 번 동전의 금액이 가장 작고, 다섯째 번 동전의 금액이 가장 큽니다.
- 같은 종류의 동전은 바로 옆에 붙어 있습니다.

◯ ◯ ◯ ◯ ◯

2 일차 조건에 맞는 수

🌷 주어진 수 중에서 조건에 맞는 수를 찾아 ⬤ 안에 써넣으시오.

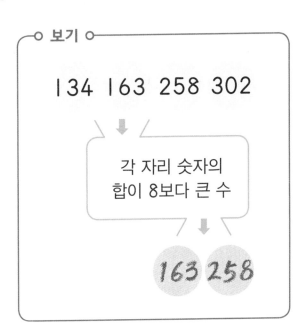

보기

134 163 258 302

⬇

각 자리 숫자의
합이 8보다 큰 수

⬇

163 258

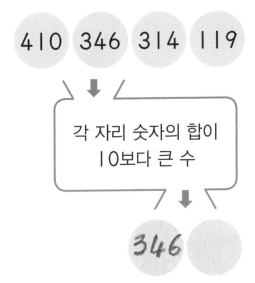

410 346 314 119

⬇

각 자리 숫자의 합이
10보다 큰 수

⬇

346 ⬤

623 205 123

811 512 420

⬇

각 자리 숫자의 합이
7보다 작은 수

⬇

⬤ ⬤

400 292 613

110 555 854

⬇

백의 자리 숫자와
일의 자리 숫자가
같은 수

⬇

⬤ ⬤

620 913 255

189 477 701

388 458

826 278

729 362 428

248 573 831

↓

500보다 큰 수

↓

620

↓

각 자리 숫자의
합이 10보다
작은 수

↓

620

↓

일의 자리 숫자가
8인 수

↓

↓

백의 자리 숫자가
홀수인 수

↓

십의 자리 숫자가
백의 자리 숫자
보다 큰 수

↓

↓

일의 자리 숫자가
홀수인 수

↓

4
B01

조건에 맞는 세 자리 수를 찾아 ▨ 안에 써넣으시오.

조건
· 320보다 크고 330보다 작습니다.
· 십의 자리 숫자와 일의 자리 숫자의 합이 6
  입니다.

| 3 | 2 | |

조건
· 450보다 크고 460보다 작은 수입니다.
· 십의 자리 숫자와 일의 자리 숫자의 합이 10
  입니다.

| | | |

조건
· 700보다 크고 800보다 작은 수입니다.
· 십의 자리 숫자는 백의 자리 숫자보다 큰 홀
  수입니다.
· 일의 자리 숫자와 백의 자리 숫자의 합은 십
  의 자리 숫자와 같습니다.

| | | |

조건
- 일의 자리 숫자가 5인 수입니다.
- 900보다 큰 수입니다.
- 각 자리 숫자의 합이 17입니다.

조건
- 300보다 크고 400보다 작은 수입니다.
- 백의 자리 숫자와 일의 자리 숫자의 합이 4입니다.
- 십의 자리 숫자는 일의 자리 숫자보다 크고, 백의 자리 숫자는 십의 자리 숫자보다 큽니다.

4
B01

조건
- 각 자리 숫자는 서로 다르고, 모두 6보다 큽니다.
- 각 자리 숫자 중 십의 자리 숫자가 가장 큽니다.
- 일의 자리 숫자에서 백의 자리 숫자를 빼면 1입니다.

수 배치

❀ 부등호에 맞게 ⬜ 안에 알맞은 수를 써넣으시오.

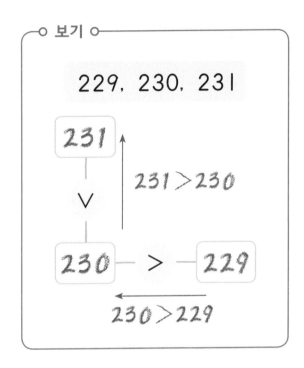

─○ 보기 ○─

229, 230, 231

231

∨

231 > 230

230 — > — 229

230 > 229

168, 170, 172

170 < ⬜

∨

⬜

427, 428, 429

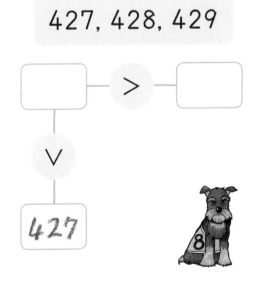

⬜ > ⬜

∨

427

509, 510, 512, 513

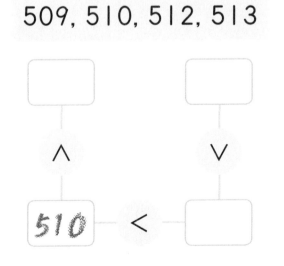

⬜   ⬜

∧   ∨

510 < ⬜   ⬜

478, 479, 480

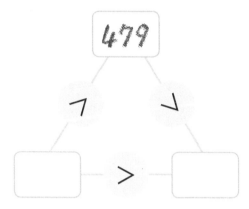

245, 253, 281

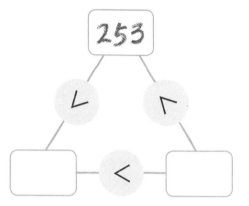

649, 653, 654, 655

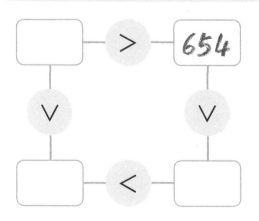

827, 829, 830, 831

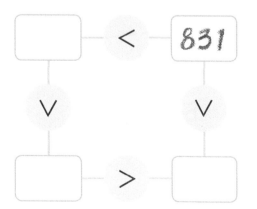

주어진 수를 한 번씩만 사용하여 퍼즐을 완성하시오.

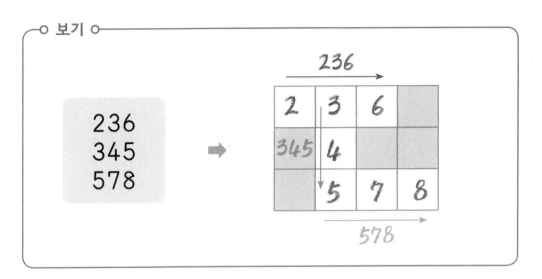

217
392
476

		2	
		1	
		7	

563 845
832 213

	4		
		3	

108 467
197 525
852 420

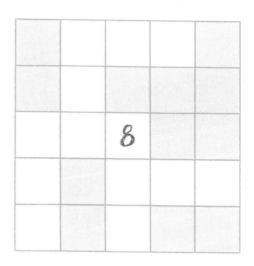

245 185
309 419
432 106
572 172

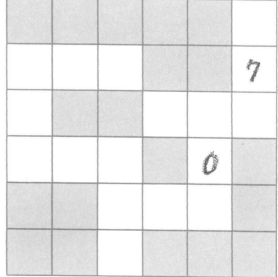

오늘은 얼마나 잘했을까요?
칭찬 붙임 딱지를
붙여 주세요!

수와 숫자

🌷 수와 숫자를 구분하여 ◯표 하고 ▨ 안에 알맞은 수를 써넣으시오.

385 ┬ 수 : 385 ➡ 1개

└ 숫자 : 3 (300을 나타내는 숫자)
8 (80을 나타내는 숫자) ➡ 3개
5 (5를 나타내는 숫자)

수의 개수

⬭0⬮, ⬭42⬮, ⬭503⬮, ⬭891⬮

☐ 개

숫자의 개수

⬭0⬮, ⬭42⬮, ⬭503⬮, ⬭891⬮

☐ 개

수의 개수

9, 28, 37, 46, 531

☐ 개

숫자의 개수

9, 28, 37, 46, 531

☐ 개

수의 개수

102, 4, 123, 87, 159

☐ 개

숫자의 개수

102, 4, 123, 87, 159

☐ 개

♀ 수와 숫자의 개수를 ▨ 안에 써넣으시오.

리모콘에서

수는 모두 ▨ 개이고,

숫자는 모두 ▨ 개입니다.

저울에서

수는 모두 ▨ 개이고,

숫자는 모두 ▨ 개입니다.

비커에서

수는 모두 ▨ 개이고,

숫자는 모두 ▨ 개입니다.

☻ 수와 숫자의 개수를 　 안에 써넣으시오.

0	1	2	3	4	5	6	7	8	9

수 : 　　　 개,　 숫자 : 　　　 개

10	11	12	13	14	15	16	17	18	19

수 : 　　　 개,　 숫자 : 　　　 개

100	101	102	103	104	105	106	107	108	109

수 : 　　　 개,　 숫자 : 　　　 개

50	51	52	53	54	55	56	57	58	59
60	61	62	63	64	65	66	67	68	69

수 : 　　　 개,　 숫자 : 　　　 개

130	131	132	133	134	135	136	137	138	139
140	141	142	143	144	145	146	147	148	149
150	151	152	153	154	155	156	157	158	159

수 : ☐ 개,   숫자 : ☐ 개

0	1	2	3	4	5	6	7	8	9
10	11	12	13	14	15	16	17	18	19
20	21	22	23	24	25	26	27	28	29
30	31	32	33	34	35	36	37	38	39
40	41	42	43	44	45	46	47	48	49
50	51	52	53	54	55	56	57	58	59
60	61	62	63	64	65	66	67	68	69
70	71	72	73	74	75	76	77	78	79
80	81	82	83	84	85	86	87	88	89
90	91	92	93	94	95	96	97	98	99

4

B01

수 : ☐ 개,   숫자 : ☐ 개

오늘은 얼마나 잘했을까요?
칭찬 붙임 딱지를
붙여 주세요!

뛰어 센 규칙 찾기

❦ ▨ 안에 알맞은 수를 써넣으시오.

보기

| **5** 씩 뛰어 세기 |

101	102	103	104	105	106	107	108	109	110
111	112	113	114	115	116	117	118	119	120
121	122	123	124	125	126	127	128	129	130
131	132	133	134	135	136	137	138	139	140

140 다음에 색칠될 수: **145**

▨ 씩 뛰어 세기

511	512	513	514	515	516	517	518	519	520
521	522	523	524	525	526	527	528	529	530
531	532	533	534	535	536	537	538	539	540
541	542	543	544	545	546	547	548	549	550

547 다음에 색칠될 수:

▨ 씩 뛰어 세기

871	872	873	874	875	876	877	878	879	880
881	882	883	884	885	886	887	888	889	890
891	892	893	894	895	896	897	898	899	900
901	902	903	904	905	906	907	908	909	910

908 다음에 색칠될 수:

🔍 규칙을 찾아 빈칸에 알맞은 수를 써넣으시오.

550		580		610
553	574		604	613
556	571		601	
559	568	589	598	619
562	565	592		622

480	490	495	525	530
485	500		535	
505	515	540		580
510		565	585	610
	560	590		615
555	595	600	620	

230   270
210 250 290
550 590 310
570
630 350
490
430 390
450 410

4
B01

☺ ▨ 안에 알맞은 수를 써넣으시오.

10씩 뛰어 세기

| 21 **0** | ➡ | **2** 20 | ➡ | 2 ▢ 0 |

5씩 뛰어 세기

| 1 ▢ 0 | ➡ | 10 **5** | ➡ | ▢ 10 |

20씩 뛰어 세기

| 24 ▢ | ➡ | ▢ 65 | ➡ | 2 ▢ 5 |

5씩 뛰어 세기

| 3 ▢ 5 | ➡ | 34 ▢ | ➡ | ▢ 45 |

20씩 뛰어 세기

39 ➡ 14 ➡ 4□4 ➡ 45□

2씩 뛰어 세기

59□ ➡ 60□ ➡ 6□2 ➡ □04

□씩 뛰어 세기

200 ➡ □05 ➡ 210 ➡ □15

4

B01

□씩 뛰어 세기

4□3 ➡ 406 ➡ 4□9 ➡ □12

오늘은 얼마나 잘했을까요?
칭찬 붙임 딱지를
붙여 주세요!

memo

B01
정답

99 다음의 수가 100임을 알고, 100의 개념을 바탕으로 100씩 묶음을 세어 몇백을 알아 보는 과정입니다.

두 자리 수에서 세 자리 수로 확장되는 학습 과정이므로 10개씩 묶음 짓는 십진법의 원리를 이해할 수 있도록 지도해 주세요.

이용되는 모형(수 모형, 동전 모형)과 수의 관계를 반복함으로써 상호 관계를 정확하게 이해 할 수 있도록 연습합니다.

| 100이 3인 수 | → | 100이 3인 수 　300 |

300 , 삼백　　　　　　300

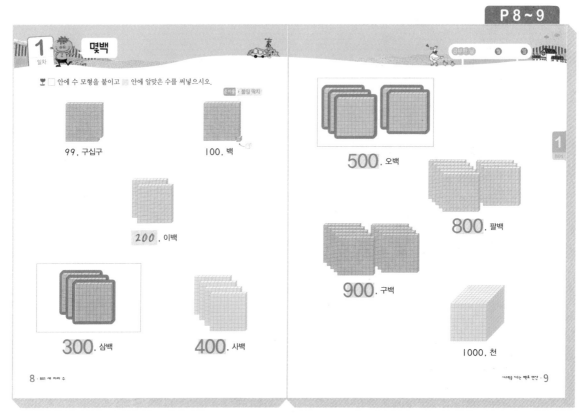

1 일차　몇백

□ 안에 수 모형을 붙이고 □ 안에 알맞은 수를 써넣으시오.

99 . 구십구　　　　100 . 백

200 . 이백

300 . 삼백　　　400 . 사백

500 . 오백

800 . 팔백

900 . 구백

1000 . 천

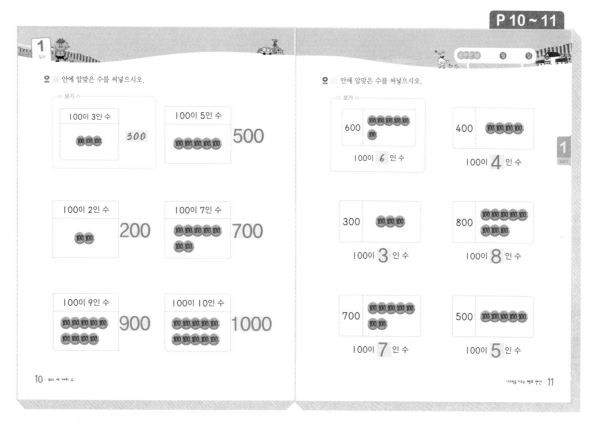

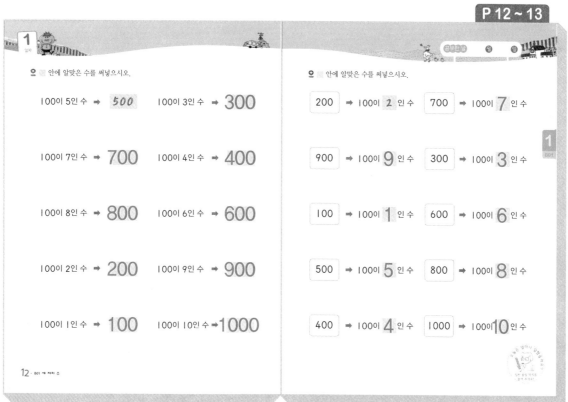

1주 2일차 세 자리 수

십진법의 원리를 이용하여 세 자리 수를 나타내는 과정입니다.

자릿값은 오른쪽부터 왼쪽으로 한 자리씩 옮겨 가며 차례로 일, 십, 백이 되며 10배씩 커진다는 것을 알게 합니다.

또한 세 자리 수를 쓸 때에는 기계적으로 자리에 맞추어 쓰기보다 그 수가 상대적으로 얼마나 큰 수인지 생각하게 합니다. 예를 들어 324는 100이 3, 10이 2, 1이 4인 수이며 300보다 24 큰 수인 것을 생각하도록 지도합니다.

이 과정은 이후에 학습하게 될 받아올림과 받아내림이 있는 계산의 기초가 됩니다.

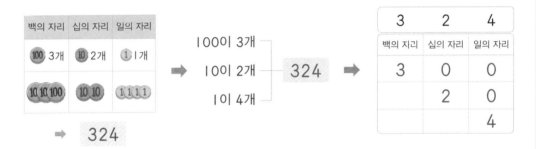

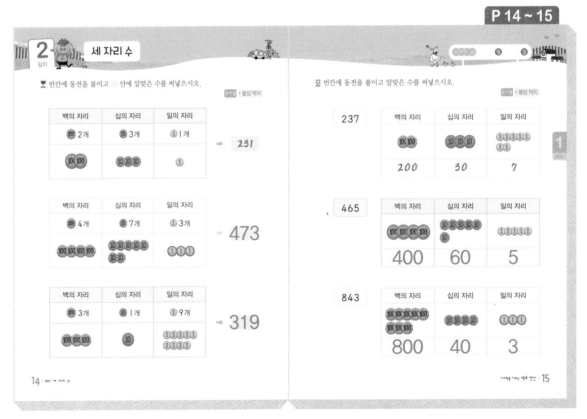

2 알기

○ □ 안에 알맞은 수를 써넣으시오.

100이 3개
10이 0개   304
1이 4개

100이 3개
10이 6개   362
1이 2개

100이 7개
10이 3개   735
1이 5개

100이 9개
10이 2개   920
1이 0개

100이 4개
10이 0개   401
1이 1개

100이 8개
10이 8개   884
1이 4개

○ □ 안에 알맞은 수를 써넣으시오.

435 → 100이 **4**개
10이 **3**개
1이 **5**개

549 → 100이 **5**개
10이 **4**개
1이 **9**개

610 → 100이 **6**개
10이 **1**개
1이 **0**개

206 → 100이 **2**개
10이 **0**개
1이 **6**개

872 → 100이 **8**개
10이 **7**개
1이 **2**개

968 → 100이 **9**개
10이 **6**개
1이 **8**개

2 알기

○ 주어진 수의 자릿값을 빈칸에 알맞게 써넣으시오.

3	2	4
백의 자리	십의 자리	일의 자리
3	0	0
	2	0
		4

2	5	6
백의 자리	십의 자리	일의 자리
2	0	0
	5	0
		6

5	1	5
백의 자리	십의 자리	일의 자리
5	0	0
	1	0
		5

6	8	4
백의 자리	십의 자리	일의 자리
6	0	0
	8	0
		4

9	4	3
백의 자리	십의 자리	일의 자리
9	0	0
	4	0
		3

4	7	7
백의 자리	십의 자리	일의 자리
4	0	0
	7	0
		7

○ 빨간색 숫자가 나타내는 수를 아래에서 찾아 ○표 하시오.

674
700 (70) 7

253
500 (50) 5

516
600 60 (6)

462
(400) 40 4

195
(100) 10 1

893
300 30 (3)

489
800 (80) 8

967
(900) 90 9

1주 3일차 세 자리 수 읽고 쓰기

학습가이드

십진법의 원리를 이용하여 세 자리 수를 쓰고 읽는 과정입니다.

세 자리 수의 모형, 말, 수의 관계를 반복함으로써 상호 관계를 정확하게 이해할 수 있도록 합니다.

세 자리 수를 쓸 때 '삼백오십육'을 300506, 3506, 30056 등으로 잘못 쓰는 경우가 있으므로 십진법의 원리와 항상 관련짓도록 유의해야 합니다.

즉, 표기할 때 자릿값은 생략하고 숫자만 쓴다는 것을 반복하여 인지시켜 지도해 주세요.

P 20 ~ 21

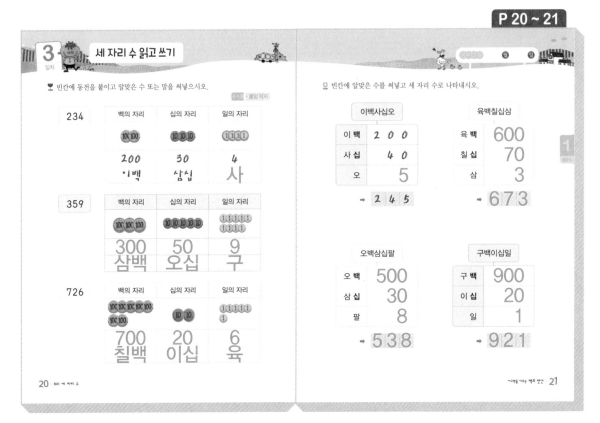

3 일차

● 빈칸에 알맞은 말을 써넣어 수를 읽어 보시오.

┌ 보기 ┐

2	3	4
백의 자리	십의 자리	일의 자리

이백 삼십 사

4	9	5
백의 자리	십의 자리	일의 자리

사백 구십 오

5	7	6
백의 자리	십의 자리	일의 자리

오백칠십 육

3	2	0
백의 자리	십의 자리	일의 자리

삼백이십

7	0	2
백의 자리	십의 자리	일의 자리

칠백 이

6	8	9
백의 자리	십의 자리	일의 자리

육백팔십 구

22 · B01 세 자리 수

● 빈칸에 알맞은 수를 써넣으시오.

┌ 보기 ┐

사백	칠십	팔
백의 자리	십의 자리	일의 자리
4	7	8

이백	오십	칠
백의 자리	십의 자리	일의 자리
2	5	7

육백	십	이
백의 자리	십의 자리	일의 자리
6	1	2

팔백	육십	
백의 자리	십의 자리	일의 자리
8	6	0

백	삼십	오
백의 자리	십의 자리	일의 자리
1	3	5

삼백		구
백의 자리	십의 자리	일의 자리
3	0	9

사고력을 키우는 팩토 연산 23

3 일차

● 수를 읽어 보시오.

304 ➡ 삼백사
247 ➡ 이백사십칠

403 ➡ 사백삼
560 ➡ 오백육십

876 ➡ 팔백칠십육
312 ➡ 삼백십이

259 ➡ 이백오십구
777 ➡ 칠백칠십칠

141 ➡ 백사십일
908 ➡ 구백팔

24 · B01 세 자리 수

● 안에 알맞은 수를 써넣으시오.

사백칠십이 ➡ 472
이백구십삼 ➡ 293

칠백팔십구 ➡ 789
육백오 ➡ 605

삼백사십 ➡ 340
팔백십육 ➡ 816

이백삼 ➡ 203
백이십사 ➡ 124

구백삼십일 ➡ 931
육백육십사 ➡ 664

십진법의 원리를 바탕으로 세 자리 수를 1씩, 10씩, 100씩 일정하게 뛰어 세기를 학습하는 과정입니다. 수를 규칙적으로 뛰어서 세는 것은 수의 순서와 구조를 이해하는 데 큰 도움이 됩니다.

앞뒤의 수를 비교하여 변하는 숫자의 자리를 먼저 파악하도록 지도해 주세요. 특히 어떤 자리의 수가 일정하게 바뀌다가 더 높은 자리로 받아올림하여 수가 바뀔 때에 아이들이 가장 혼란스러워한다는 것을 잊지 마세요.

P 26 ~ 27

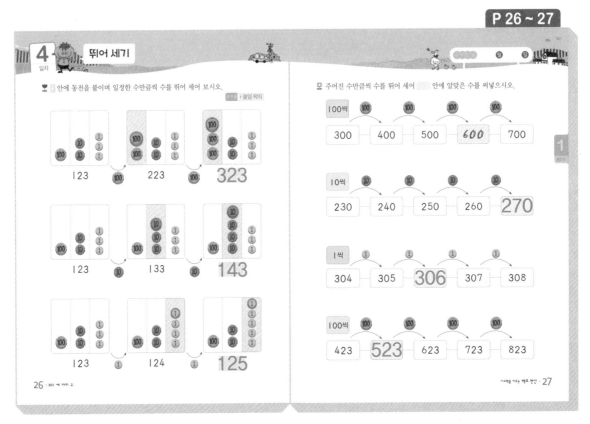

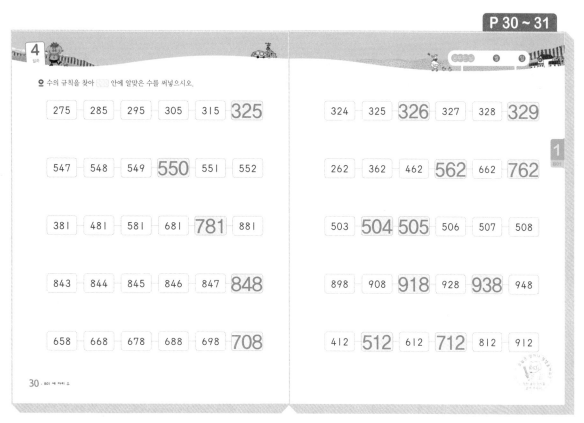

P 28 ~ 29

4
일차

수의 규칙을 찾아 ⬚ 안에 알맞은 수를 써넣으시오.

100 — 200 — 300 — **400** — 500 — 600

200 — 210 — 220 — 230 — **240** — 250

340 — 341 — **342** — 343 — 344 — 345

130 — 140 — 150 — 160 — 170 — **180**

401 — **501** — 601 — 701 — 801 — 901

162 — 172 — 182 — **192** — 202 — 212

275 — 375 — 475 — 575 — 675 — **775**

468 — 469 — **470** — 471 — 472 — 473

949 — 959 — 969 — 979 — **989** — 999

752 — 762 — 772 — 782 — 792 — **802**

1
B01

28 · B01 세 자리 수

사고력을 키우는 팩토 연산 · 29

P 30 ~ 31

4
일차

수의 규칙을 찾아 ⬚ 안에 알맞은 수를 써넣으시오.

275 — 285 — 295 — 305 — 315 — **325**

547 — 548 — 549 — **550** — 551 — 552

381 — 481 — 581 — 681 — **781** — 881

843 — 844 — 845 — 846 — 847 — **848**

658 — 668 — 678 — 688 — 698 — **708**

324 — 325 — **326** — 327 — 328 — **329**

262 — 362 — 462 — **562** — 662 — **762**

503 — **504** — **505** — 506 — 507 — 508

898 — 908 — **918** — 928 — **938** — 948

412 — **512** — 612 — **712** — 812 — 912

1
B01

30 · B01 세 자리 수

지금까지 배운 세 자리 수와 십진법의 원리를 바탕으로 세 자리 수의 크기를 비교하는 과정입니다.

세 자리 수의 크기를 비교할 때에는 백의 자리 숫자부터 비교하고, 백의 자리 숫자가 같으면 십의 자리 숫자를, 백의 자리 숫자와 십의 자리 숫자가 같으면 일의 자리 숫자를 비교합니다. 이전에 학습한 두 자리 수의 크기 비교 방법과 관련지어 세 자리 수의 크기 비교 방법을 이해하도록 지도해 주세요. 이러한 원리가 익숙해지면 아이는 직관적으로 수의 크기를 비교할 수 있습니다.

P 32 ~ 33

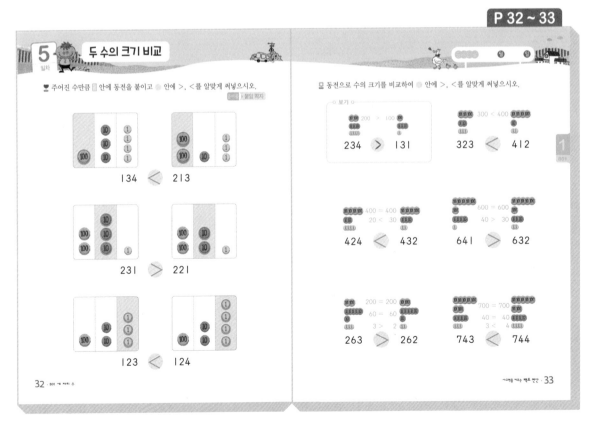

5일차

두 수의 크기를 비교하여 안에 >, <를 알맞게 써넣으시오.

200 < 300	500 > 400
243 **<** 351	526 **>** 425

800 = 800 60 > 50	500 = 500 80 < 90
864 **>** 859	584 **<** 594

300 = 300 70 < 80	700 = 700 60 > 50
370 **<** 386	763 **>** 751

100 = 100 50 = 50 6 > 4	600 = 600 40 = 40 4 < 9
156 **>** 154	644 **<** 649

500 = 500 50 = 50 7 > 3	900 = 900 70 = 70 5 < 8
557 **>** 553	975 **<** 978

34 · B01 세 자리 수

안에 >, <를 알맞게 써넣으시오.

5=5	1=1	3<4
513 ▨ 514 →	513 ▨ 514 →	513 **<** 514

261 **>** 252	430 **<** 431
439 **<** 448	758 **>** 659
830 **<** 881	697 **>** 692
778 **>** 769	942 **<** 948

사고력을 키우는 팩토 연산 · 35

5일차

안에 >, <를 알맞게 써넣으시오.

300 **>** 200	410 **<** 500	600 **>** 500	400 **>** 340
350 **<** 420	220 **>** 210	572 **<** 672	749 **>** 746
483 **<** 489	590 **<** 600	900 **>** 899	182 **<** 187
517 **<** 608	352 **>** 349	790 **<** 800	560 **>** 550
657 **>** 651	847 **<** 862	352 **<** 358	873 **<** 876
600 **>** 599	780 **<** 786	989 **<** 990	440 **>** 439

36 · B01 세 자리 수

P 38 ~ 39

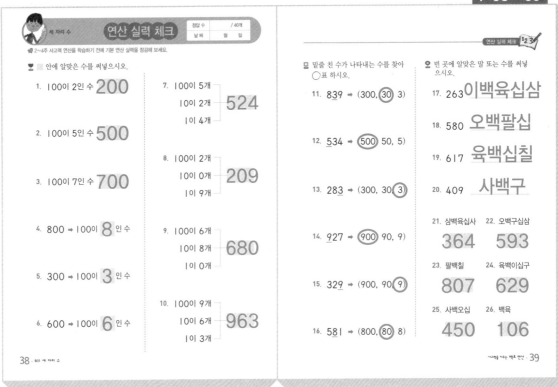

세 자리 수

연산 실력 체크

정답 수 / 40개
날짜 월 일

2~4주 사고력 연산을 학습하기 전에 기본 연산 실력을 점검해 보세요.

◆ 안에 알맞은 수를 써넣으시오.

1. 100이 2인 수 **200**

2. 100이 5인 수 **500**

3. 100이 7인 수 **700**

4. 800 ➡ 100이 **8** 인 수

5. 300 ➡ 100이 **3** 인 수

6. 600 ➡ 100이 **6** 인 수

7. 100이 5개
10이 2개
1이 4개
524

8. 100이 2개
10이 0개
1이 9개
209

9. 100이 6개
10이 8개
1이 0개
680

10. 100이 9개
10이 6개
1이 3개
963

38 · B01 세 자리 수

◆ 밑줄 친 수가 나타내는 수를 찾아 ○표 하시오.

11. 8**3**9 ➡ (300, ㉚, 3)

12. **5**34 ➡ (㊿, 50, 5)

13. 2**8**3 ➡ (300, 30, ③)

14. **9**27 ➡ (⑨⓪⓪, 90, 9)

15. 32**9** ➡ (900, 90, ⑨)

16. 5**8**1 ➡ (800, ㊿, 8)

◆ 빈 곳에 알맞은 말 또는 수를 써넣으시오.

17. 263 **이백육십삼**

18. 580 **오백팔십**

19. 617 **육백십칠**

20. 409 **사백구**

21. 삼백육십사 **364**

22. 오백구십삼 **593**

23. 팔백칠 **807**

24. 육백이십구 **629**

25. 사백오십 **450**

26. 백육 **106**

연산 실력 체크 · 39

P 40 ~ 41

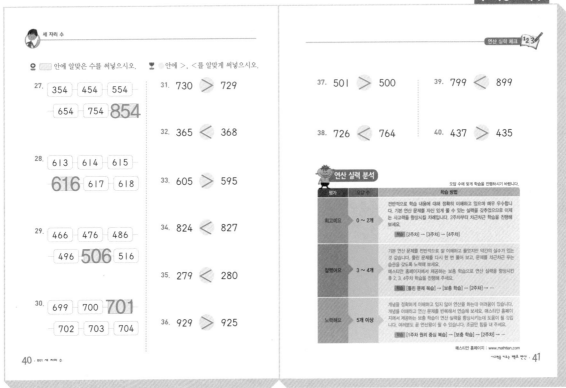

세 자리 수

◆ 안에 알맞은 수를 써넣으시오.

27. 354 - 454 - 554 - 654 - 754 - **854**

28. 613 - 614 - 615 - **616** - 617 - 618

29. 466 - 476 - 486 - 496 - **506** - 516

30. 699 - 700 - **701** - 702 - 703 - 704

◆ 안에 >, <를 알맞게 써넣으시오.

31. 730 **>** 729

32. 365 **<** 368

33. 605 **>** 595

34. 824 **<** 827

35. 279 **<** 280

36. 929 **>** 925

37. 501 **>** 500

38. 726 **<** 764

39. 799 **<** 899

40. 437 **>** 435

연산 실력 분석

오답 수에 맞게 학습을 진행하시기 바랍니다.

평가	오답 수	학습 방법
최고예요	0 ~ 2개	전반적으로 학습 내용에 대해 정확히 이해하고 있으며 매우 우수합니다. 기본 연산 문제를 자신 있게 풀 수 있는 실력을 갖추었으므로 이제는 사고력을 향상시킬 차례입니다. 2주차부터 차근차근 학습을 진행해 보세요. TIP [2주차] → [3주차] → [4주차]
잘했어요	3 ~ 4개	기본 연산 문제를 전반적으로 잘 이해하고 풀었지만 약간의 실수가 있는 것 같습니다. 틀린 문제를 다시 한 번 풀어 보고, 문제를 자근자근 푸는 습관을 갖도록 노력해 보세요. 매스티안 홈페이지에서 제공하는 보충 학습으로 연산 실력을 향상시킨 후 2, 3, 4주차 학습을 진행해 주세요. TIP [틀린 문제 복습] → [보충 학습] → [2주차] → …
노력해요	5개 이상	개념을 정확하게 이해하고 있지 않아 연산을 하는데 어려움이 있습니다. 개념을 이해하고 연산 문제를 반복해서 연습해 보세요. 매스티안 홈페이지에서 제공하는 보충 학습이 연산 실력을 향상시키는데 도움이 될 것입니다. 여러분도 곧 연산왕이 될 수 있습니다. 조금만 힘을 내 주세요. TIP [1주차 원리 중심 복습] → [보충 학습] → [2주차] → …

매스티안 홈페이지: www.mathtian.com

40 · B01 세 자리 수

연산 실력 체크 · 41

P 44 ~ 45

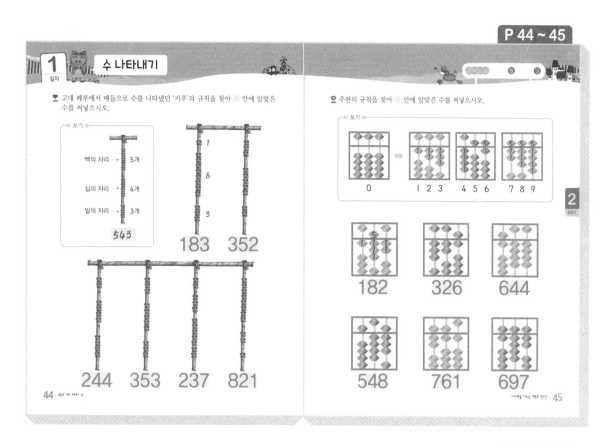

P 46 ~ 47

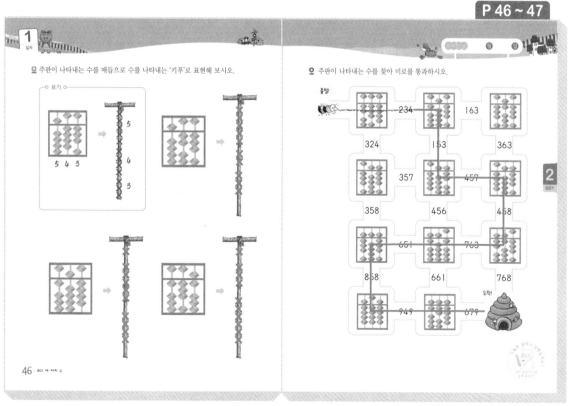

P48 ~ 49

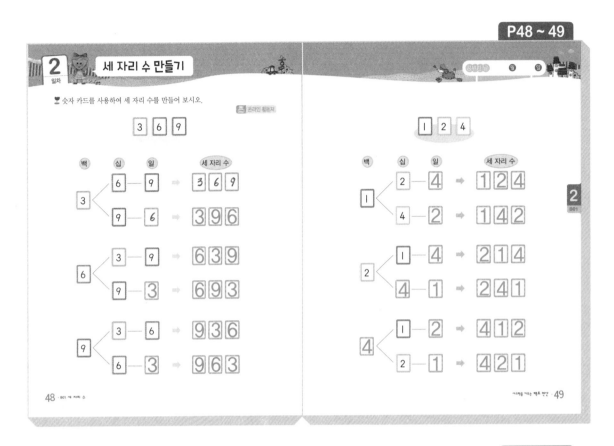

P 50 ~ 51

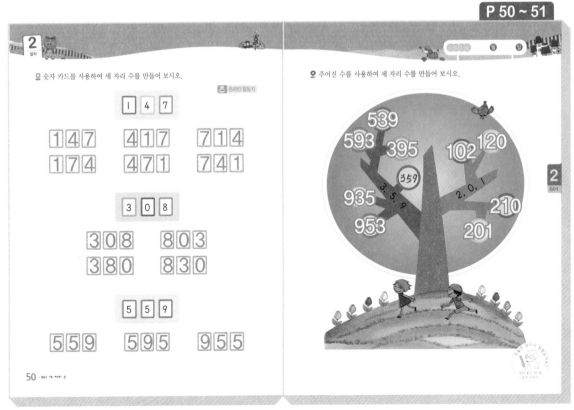

P 52 ~ 53

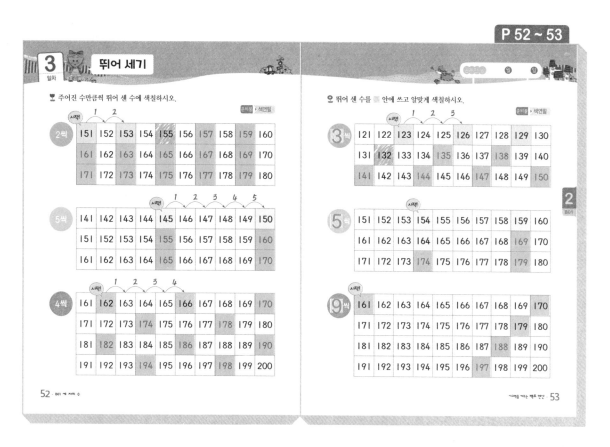

P 54 ~ 55

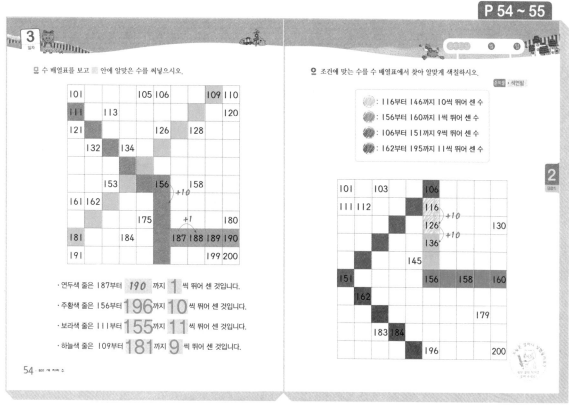

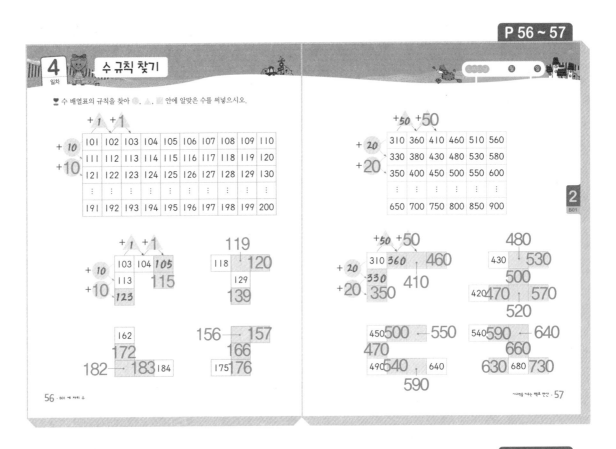

P 56 ~ 57

P58 ~ 59

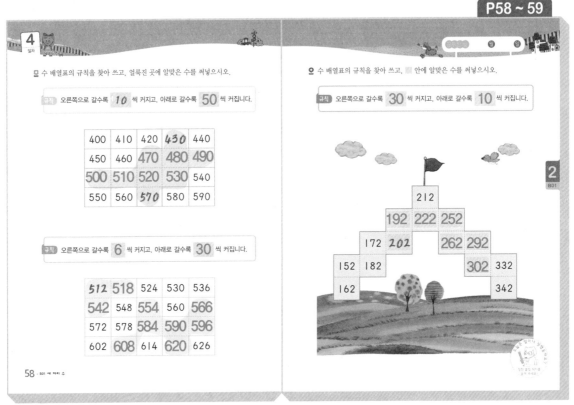

P 60 ~ 61

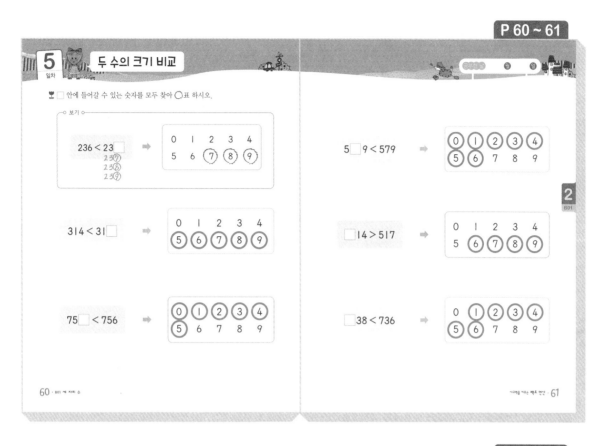

P 62 ~ 63

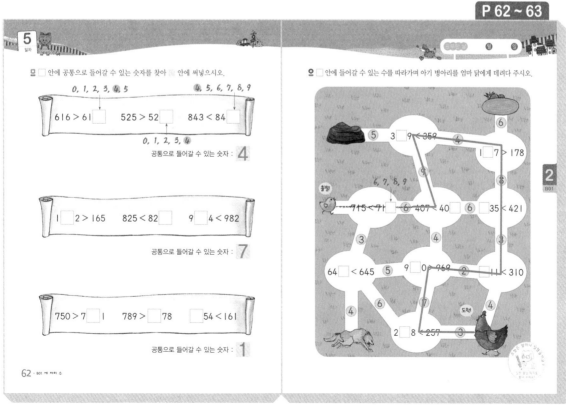

P 66 ~ 67

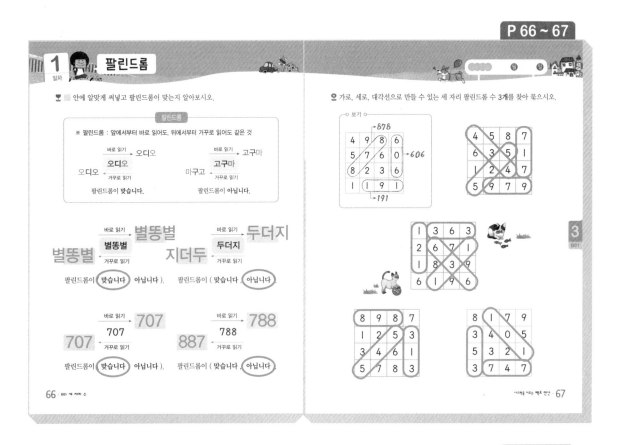

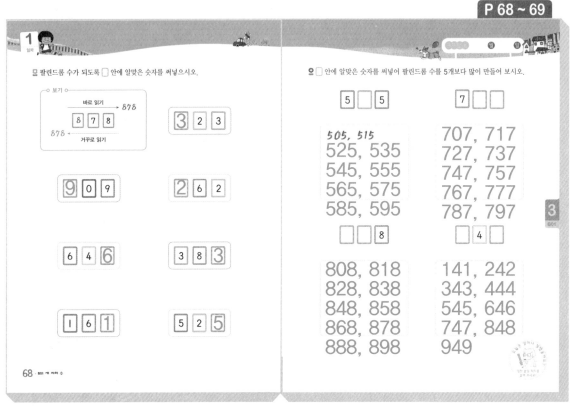

P 70 ~ 71

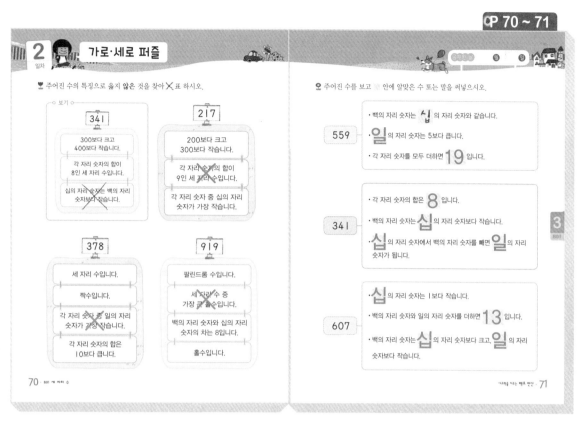

2 가로 · 세로 퍼즐
일차

주어진 수의 특징으로 옳지 **않은** 것을 찾아 ✕표 하시오.

── 보기 ──

341

300보다 크고
400보다 작습니다.

각 자리 숫자의 합이
8인 세 자리 수입니다.

~~십의 자리 숫자는 백의 자리
숫자보다 작습니다.~~

217

200보다 크고
300보다 작습니다.

~~각 자리 수의 합이
9인 세 자리 수입니다.~~

각 자리 숫자 중 십의 자리
숫자가 가장 작습니다.

378

세 자리 수입니다.

짝수입니다.

~~각 자리 숫자 중 일의 자리
숫자가 가장 작습니다.~~

각 자리 숫자의 합은
10보다 큽니다.

919

팔린드롬 수입니다.

~~세 자리 수 중
가장 큰 수입니다.~~

백의 자리 숫자와 십의 자리
숫자의 차는 8입니다.

홀수입니다.

주어진 수를 보고 ⬚ 안에 알맞은 수 또는 말을 써넣으시오.

559
- 백의 자리 숫자는 **십**의 자리 숫자와 같습니다.
- **일**의 자리 숫자는 5보다 큽니다.
- 각 자리 숫자를 모두 더하면 **19** 입니다.

341
- 각 자리 숫자의 합은 **8** 입니다.
- 백의 자리 숫자는 **십**의 자리 숫자보다 작습니다.
- **십**의 자리 숫자에서 백의 자리 숫자를 빼면 **일**의 자리 숫자가 됩니다.

607
- **십**의 자리 숫자는 1보다 작습니다.
- 백의 자리 숫자와 일의 자리 숫자를 더하면 **13** 입니다.
- 백의 자리 숫자는 **십**의 자리 숫자보다 크고, **일**의 자리 숫자보다 작습니다.

P 72 ~ 73

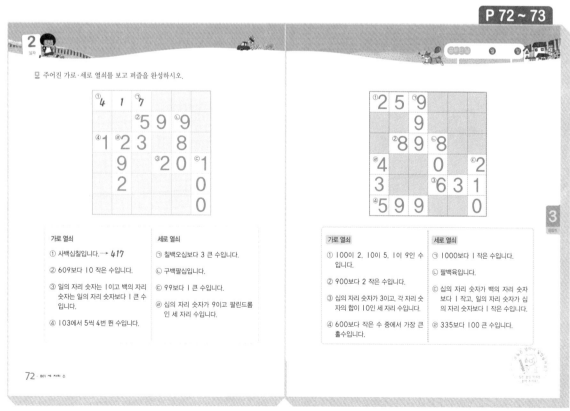

2 일차

주어진 가로 · 세로 열쇠를 보고 퍼즐을 완성하시오.

①4	1	③7		
		②5	9	ⓑ9
④1	㉑2	3		8
	9		③2	0	ⓒ1
	2			0
				0

가로 열쇠

① 사백십칠입니다. → 417

② 609보다 10 작은 수입니다.

③ 일의 자리 숫자는 1이고 백의 자리 숫자는 일의 자리 숫자보다 1 큰 수입니다.

④ 103에서 5씩 4번 뛴 수입니다.

세로 열쇠

㉠ 칠백오십보다 3 큰 수입니다.

ⓑ 구백팔십입니다.

ⓒ 99보다 1 큰 수입니다.

㉑ 십의 자리 숫자가 9이고 팔린드롬 인 세 자리 수입니다.

①2	5	③9		
		9		
	②8	9	ⓑ8	
㉑4		0		ⓒ2
3		③6	3	1
④5	9	9		0

가로 열쇠

① 100이 2, 10이 5, 1이 9인 수 입니다.

② 900보다 2 작은 수입니다.

③ 십의 자리 숫자가 3이고, 각 자리 숫 자의 합이 10인 세 자리 수입니다.

④ 600보다 작은 수 중에서 가장 큰 홀수입니다.

세로 열쇠

㉠ 1000보다 1 작은 수입니다.

ⓑ 팔백육십입니다.

ⓒ 십의 자리 숫자가 백의 자리 숫자 보다 1 작고, 일의 자리 숫자가 십 의 자리 숫자보다 1 작은 수입니다.

㉑ 335보다 100 큰 수입니다.

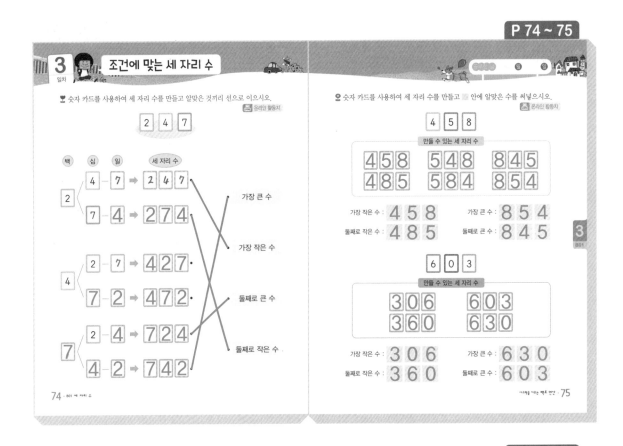

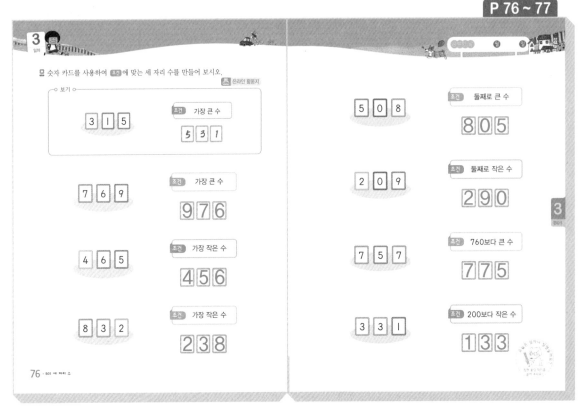

P 78 ~ 79

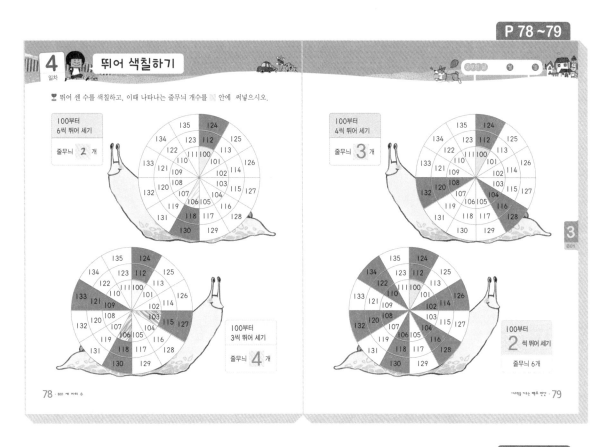

P 80 ~ 81

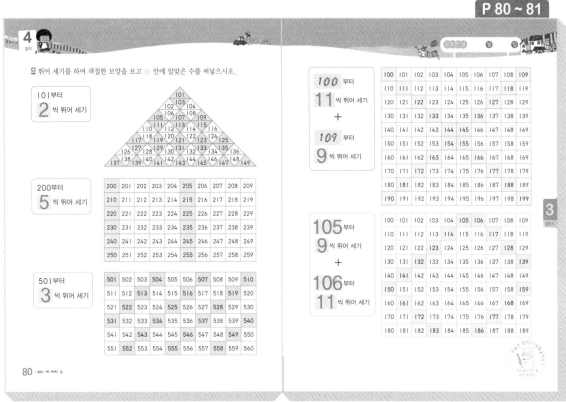

P 82 ~ 83

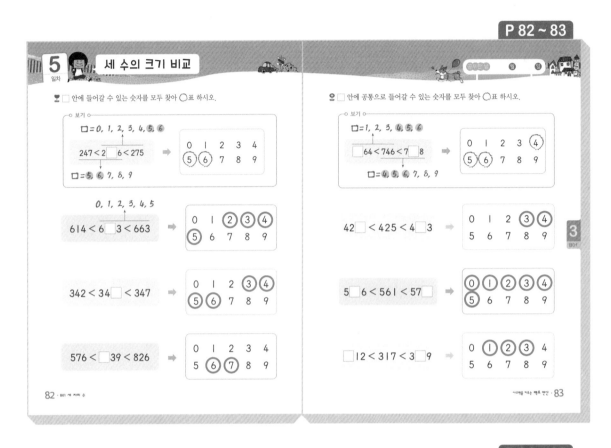

P 84 ~ 85

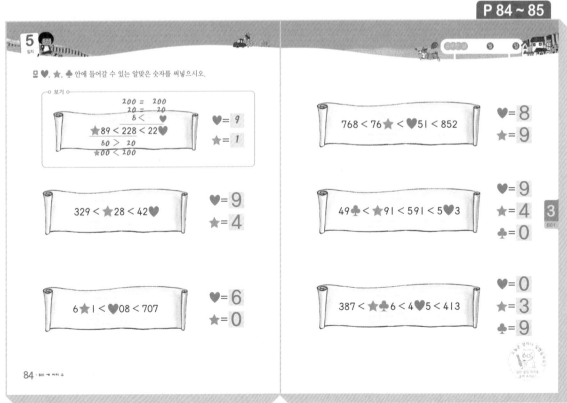

P 88 ~ 89

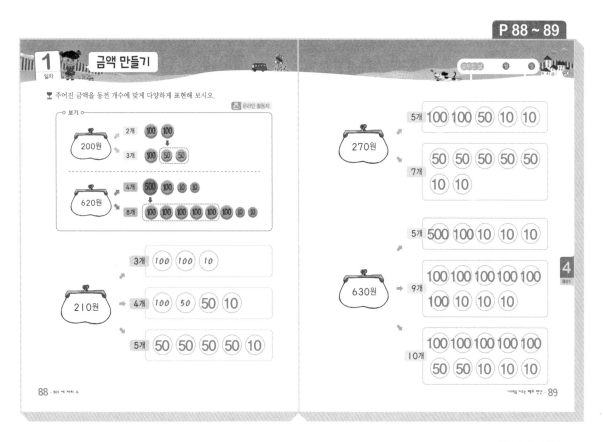

P 90 ~ 91

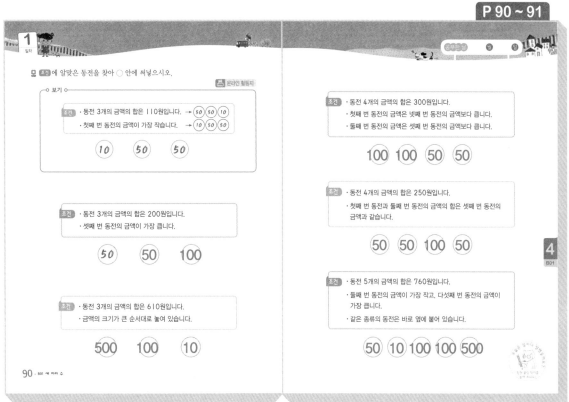

P 92 ~ 93

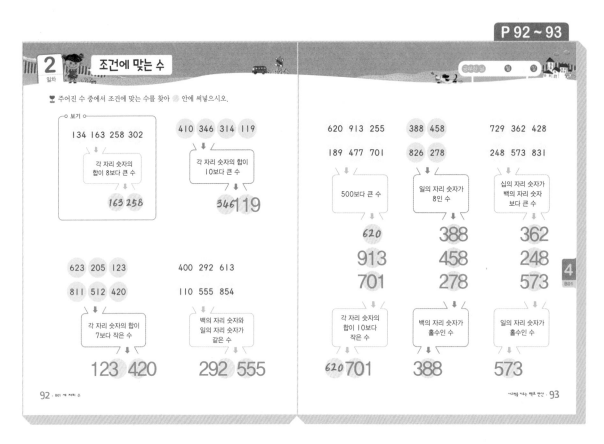

P 94 ~ 95

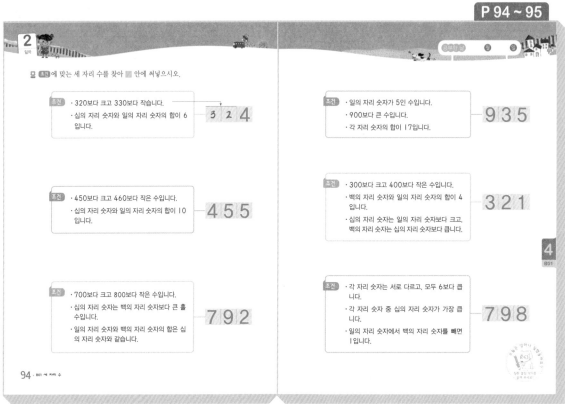

4주 3일차 수 배치

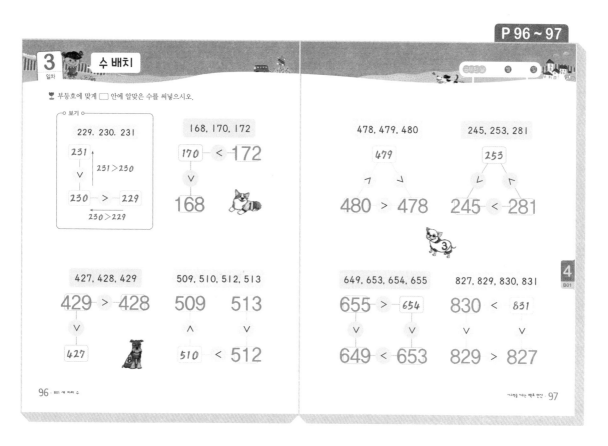

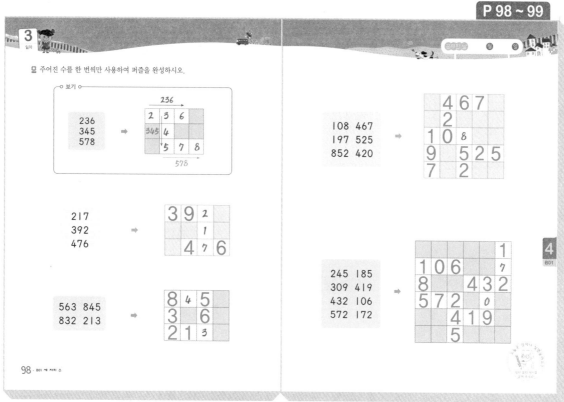

P 100 ~ 101

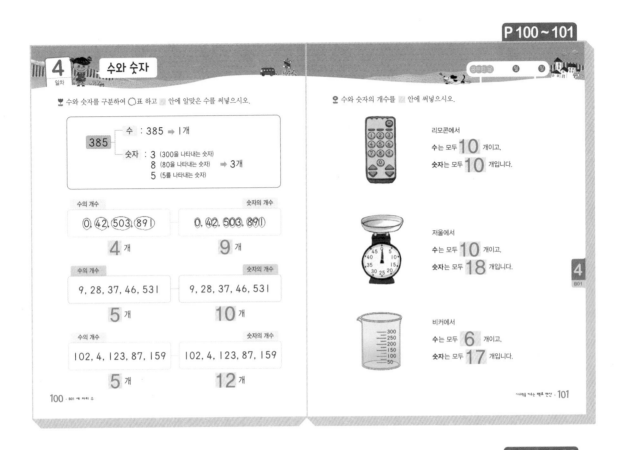

4일차 수와 숫자

수와 숫자를 구분하여 ○표 하고 ☐ 안에 알맞은 수를 써넣으시오.

385

수 : 385 ➡ 1개

숫자 : 3 (300을 나타내는 숫자)
8 (80을 나타내는 숫자) ➡ 3개
5 (5를 나타내는 숫자)

수의 개수	숫자의 개수
0, 42, 503, 891	0, 42, 503, 891
4 개	9 개

수의 개수	숫자의 개수
9, 28, 37, 46, 531	9, 28, 37, 46, 531
5 개	10 개

수의 개수	숫자의 개수
102, 4, 123, 87, 159	102, 4, 123, 87, 159
5 개	12 개

100 · B01 세 자리 수

수와 숫자의 개수를 ☐ 안에 써넣으시오.

리모콘에서
수는 모두 10 개이고,
숫자는 모두 10 개입니다.

저울에서
수는 모두 10 개이고,
숫자는 모두 18 개입니다.

비커에서
수는 모두 6 개이고,
숫자는 모두 17 개입니다.

사고력을 키우는 팩토 연산 · 101

4 B01

P 102 ~ 103

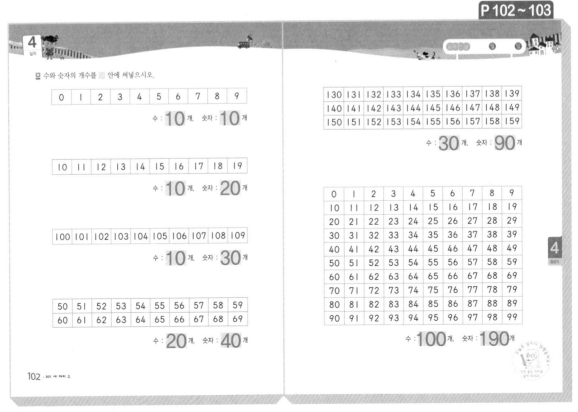

4일차

수와 숫자의 개수를 ☐ 안에 써넣으시오.

0	1	2	3	4	5	6	7	8	9

수 : 10 개, 숫자 : 10 개

10	11	12	13	14	15	16	17	18	19

수 : 10 개, 숫자 : 20 개

100	101	102	103	104	105	106	107	108	109

수 : 10 개, 숫자 : 30 개

50	51	52	53	54	55	56	57	58	59
60	61	62	63	64	65	66	67	68	69

수 : 20 개, 숫자 : 40 개

102 · B01 세 자리 수

130	131	132	133	134	135	136	137	138	139
140	141	142	143	144	145	146	147	148	149
150	151	152	153	154	155	156	157	158	159

수 : 30 개, 숫자 : 90 개

0	1	2	3	4	5	6	7	8	9
10	11	12	13	14	15	16	17	18	19
20	21	22	23	24	25	26	27	28	29
30	31	32	33	34	35	36	37	38	39
40	41	42	43	44	45	46	47	48	49
50	51	52	53	54	55	56	57	58	59
60	61	62	63	64	65	66	67	68	69
70	71	72	73	74	75	76	77	78	79
80	81	82	83	84	85	86	87	88	89
90	91	92	93	94	95	96	97	98	99

수 : 100 개, 숫자 : 190 개

4 B01

P 104~105

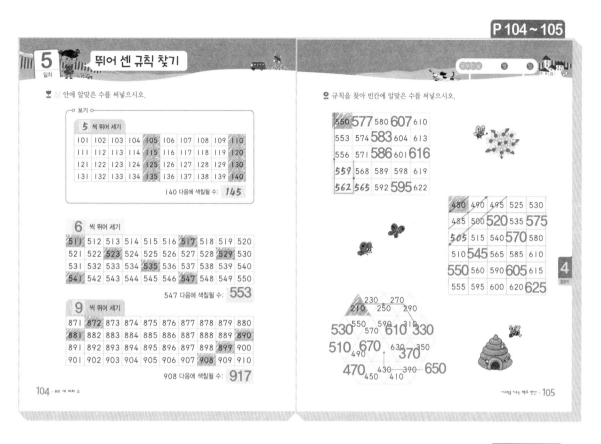

P 106~107

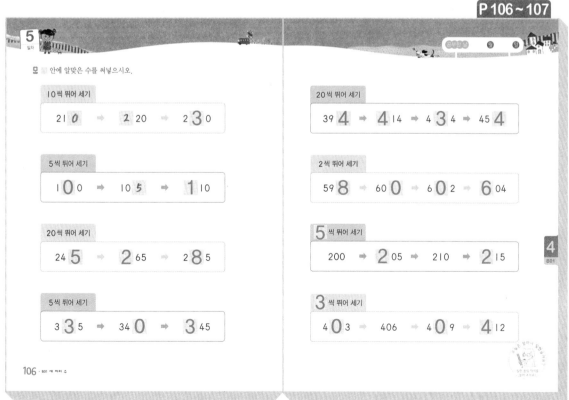

memo